The Enemies of Books

William Blades

NEW BLACK 01

此乃
書之大敵

威廉・布雷德斯 ——— 著
李函 ——— 譯

INFORTRESS

目錄

印刷術的發明讓摧毀任何作者的書籍變得更為困難，因此書本迅速地傳播到各地。另一方面，當書本數量增加時，毀書行為也和印書狀況與時並進；印刷書本很快就體會到同樣的火刑之苦，在那之前只有手抄本會被焚燒。

充滿藝術裝飾的紙本書被麵包師拿來加熱烤箱，而擁有美麗鑲金字體的羊皮紙手抄本，則被拋給裝訂工與製靴匠。

第六章　書蟲／105

書蟲曾是最具毀滅性的書之大敵。我說「曾是」，因為幸好牠在所有文明國度中造成的破壞，在過去五十年裡大量銳減。有部分原因，是由於全球大眾對古董的敬意變強了（當然，貪婪的影響更大，這促使書主們照顧年年增值的書本），而且，從某些方面來說，也降低了可食用書本的生產量。

第七章　其他害蟲／133

除了書蟲，其他書之大敵就沒那麼令人擔心了，不過舉凡蟑螂、老鼠、蚊子，甚至是鱈魚（？），在特定情況下，也還是會對書造成毀滅性的打擊。

第八章　裝訂工／141

我看過許多珍貴典籍，這些被交到裝訂工手上的全新書頁，在遭受野蠻對待後，便失去了尊嚴、美麗、與價值；如果我能懲處元凶裝訂工，便會收集所有被魯莽撕下的紙屑，並用它們當燃料，慢火燒烤這些罪犯。

第九章 收藏家／155
普羅姆先生在倫敦的舊書商之間十分有名。他十分富有，也不在乎自己的愛書癖好會花上多少錢，而他收集的正是書名頁。他魯莽地將這些書頁撕下，並經常留下解體的書本遺骸，因為他不在乎剩下的部分。

第十章 僕人與兒童／171
讀者呀！你結婚了嗎？你有小孩嗎？特別是六到十二歲之間的男孩？你也有放了各種工具的文學工作坊嗎？有些工具用來實地操作，有些則用來裝飾，讓你度過逍遙的時間？還有——啊！問題來了！你有專門負責為你那小窩除塵的女僕嗎？以上條件你都符合嗎？那我可真同情你。

後記／183

結論／189

推薦序

永不止歇的藏書保衛戰

黃震南（活水來冊房）

每個愛書、藏書人，或多或少，都能講出幾個親身經歷或聽來的，珍本化為廢紙的故事。

這種噩夢，老祖宗早就經歷過了，還編成一句成語：「水火兵蟲」。

水，就是直接泡水，或者受潮。我曾在舊書店看過一九二〇年創刊的《臺灣青年》雜誌合訂本共三冊，扉頁還有蔡培火、林呈祿、杜聰明三人蓋章，珍貴非凡，可惜受過水溼，三本皆黏成書磚無法翻閱，見之心痛不已。

臺灣近年舊籍「泡湯」比較嚴重的事件，當屬二〇〇八年台中一中圖書館淹水了。當時該校圖書館正在整修，將原本存於四樓的數萬本日文圖書搬到地下室暫放，怎知突然來了一場暴雨，泥水灌進地下室，造成文化資產的憾事。

就算不直接接觸水，空氣中過多的濕氣也容易讓書發黴、受蟲害。受潮的書，紙頁會長黴斑、掉粉、碎裂。如果讀者住在空氣潮濕到可以擰出水的地區，請務必檢查一下家裡的鞋櫃後方，那塊靠牆挨著的夾板是不是會發黴，如果是的話，家裡的藏書就有危險了，建議使用除濕機，維持相對濕度五〇—六〇%即可，太過乾燥，紙頁也容易碎裂。

火，就是失火，是最可怕的災害。被水泡過的書，用冷凍脫水等專業方法仍可能救回；被火燒過的灰燼，縱使大羅金仙也無法將它復原。臺北有家舊書店，書籍堆疊如山，通道僅容瘦子側身，是攝影家拍下獵奇影像的知名景點；這家舊書店內側有一牆書，全已焦黑，老闆無奈地說是多年前有人放火燒店，這些已然燒毀的書卻由於店內通道狹仄，無法運出，整牆保留劫餘模樣，也是書店一絕。

兵則是戰亂。我們這一代人住在承平世界，幾乎忘了其實臺灣也經歷過戰火，以及政權的更迭。對於前朝政策的壓制，對於書籍言論的禁制以及銷毀等等行為，事實上也造成臺灣無數的文獻書籍不見天日或者絕版。戰亂中發生的火災，以及強權有意銷毀圖書，對文化的損失難以估算，都屬於這個「兵」字。

水、火乃是自然現象，什麼時候要發生，多少屬於「天意難逃」的無可奈何；兵災雖是因人而起的禍難，也不是區區平民可以左右。但是一捏就死的小蟲，藏書家也對牠們束手無策，這就頗教人哭笑不得了。

許多愛讀書的人總愛自稱「書蟲」，但真正有愛書被書蟲啃過的藏家，提起「書蟲」便氣得青筋暴露，打死也不會以「書蟲」自居。家父曾經拜訪一位藏書家，這位藏家興高采烈招待家父看他珍藏已久、不輕易示人的古籍，想不到紙箱一打開，裡面藏書早被不知名生物囓咬成一堆破紙，主人悲痛莫名，客人尷尬萬分。而我家也曾經在整理許久未動的藏書時，在紙頁中掉出短小的白色蠕蟲，一批書被牠們恣意鑽成四通八達的地道，非常可惡；於是找了個假日搬桌椅到戶外，用錐子從書縫一隻隻挑出，幸好這種蟲行動極慢，毫無反抗逃逸之力，掉在地上後就被巡邏的螞蟻搬走了。

據聞這種蠕蟲是一種蛀蝕木頭的甲蟲之幼蟲，若在舊書上看到像是挖隧道一般的穿洞蛀蝕，大概就是牠們的傑作。雖然行動緩慢，但穿孔型的蛀法十分陰損，雖然吃得不多，但可以貫穿整疊書，一洞到底，造成極大的價值損失。不過我曾聽過一位舊書店老闆說：「這種蛀蟲吃書，總會避開有字的地方，因為牠知道文字有靈性。」舊書店老闆與書蟲，本應是不共戴天的存在，竟然還頗有詩意地為牠開脫，我聞言也大為感動。後來仔細想想，等一下，蛀蟲就算真的避開字不吃，也是因為油墨不好吃的緣故吧？

蠹魚反而是被大家過度汙名化的書蟲。蠹魚又稱銀魚，一向是「書蟲界」的代表，瘂弦曾歌詠曰：「一條美麗的銀蠹魚／從《水經注》裡游出來」，但其實蠹魚愛吃的是澱粉，也就是舊書裝裱用的漿糊，紙張反而不太吃。我曾經活捉一條蠹魚，把牠關在透明罐裡，投以三種紙類餵食，想不到紙張原封不動，蠹魚活活餓死。後來我學聰明，活捉蠹魚丟一顆米餵牠，足足可吃一個月，放在書桌上，倒是別緻的擺飾——或者寵物？

蠹魚喜從封面、書脊的邊緣慢慢吃，因此被蠹魚肆虐過的書，通常只有封面破損、書頁脫落，內文倒是可能絲毫無損的。這麼一講，這種優雅的小動物對於愛書人，竟是嘴下留情了。

食量比較大的是蟑螂、老鼠，不過這兩者除非是餓極了，否則有其他食物可選擇的話，是不太會吃書的，但還是要提防老鼠磨牙或蟑螂生蛋。蟑螂的橢圓卵鞘老愛黏在書頂，不留神一翻書，就撕破紙。在臺灣最恐怖的生物類書之大敵是白蟻，連書帶架一起吃，邊吃邊拉邊築巢，所到之處，不是被吃得精光，就是被排遺汙黏，造成不可逆的傷害。用Google搜尋圖片「白蟻吃書」，保證讓你永生難忘。

水火兵蟲之外，看似愛書的人也可能傷害書。圖書館的管理員顢頇怕事，建築漏水不處理、過期書籍隨意報廢。書店老闆嫌整本古籍太貴不好賣，把書裡的相片、地圖剪下，化整為零賣出，造成文獻四散、研究不易。有些書打從出生就註定活不長，出版社用劣等的紙張和三流的裝訂，書被自己的重量扯破、出版不到十年書口便黃點斑斑。這些故事實在太多，都是書之大敵。

這本成於十九世紀的《此乃書之大敵》，因為時地的隔閡，有些內容不免感到陌生；不過看看這些古人的「抱怨」，讓現代的藏書家心裡也舒坦許多，一時百感交集，腦海浮現「吾道不孤」、「世上焉得更有此人」、「嘿嘿，怎麼可以只有我的書遭殃」等聲音。回頭看看自己的書房，有氣密窗、除濕機、防蟲香、水煙殺蟲劑、滅火器……古人沒有的，今天都有了。然而書之大敵永遠不死，我們嚴陣以待，繼續守衛人類的智慧。

推薦序

藏書之樂，樂無窮，其苦也無窮？

吳卡密（舊香居店主）

從事舊書經營多年，常常被問「到底要如何保存書呢？」「如何照顧好自己收藏的善本珍本呢？」也公開做過不少次關於如何保存、修復、照顧書籍的座談會。《此乃書之大敵》，書中談及的軼聞趣事，即使是幾百年前發生的事，放到今天來看，相去不遠，人性有很多相通之處，例如很多談書的文章總喜歡提到撿漏，但同時愛書的撰文者又會擔心，因為書商或者擁有書的人缺乏相關知識，因草草處理，讓很多原本可以有更好歸宿的書或有價值的書被人丟棄或粗魯對待，明明是難得一見的好書卻被輕易的忽略了，這是很可惜的事。

不少人走進舊香居，看到架上陳列的老書，才驚覺自己丟了不少寶。父親或爺爺奶奶一輩留下來的一些書籍，在他們看來似乎是毫不起眼的陳年破爛，但其價值遠超過他們所想像。聽著他們的嘆息和抱怨，我便想道：不論時間過了多久，即便相關的知識和訊息在網路媒體流傳再廣，還是會有人忽略書本的價值。所以我常常跟愛書人或藏家聊天時，開玩笑地說：「就算說明書也有它的命運呀，遇到好的主人很幸運，反之則否。如同人各有命，人生際遇大不同！」雖說如此，但我們還是希望藉由展覽與平日資訊文章的分享，讓更多人了解古書珍本的價值。

在看完這本書的第一個想法是，作者林林總總，羅列從自然環境的變化（火、水、煤氣與高溫）到人類行為的影響（灰塵與忽視、無知與傲慢、裝訂工、收藏家、僕人與孩童），以及蟲害所造成的藏書問題，相較於A．愛德華．紐頓（一八六四—一九四〇）的《藏書之愛》，這位十九世紀英國的知名藏書家、印刷商、書目學家威廉．布雷德斯（一八二四—一八九〇），則是為我們留下藏書家與愛書人的「藏書之苦」。怕火燒水浸、怕煤氣與高溫、怕灰塵、怕人為無知的損壞，怕放不下、怕留不住，明明書滿為患又常擔心錯過新歡。

對我而言，其實就是取決人怎麼看待書？如何處理書？書在生活中扮演的角色，它所需要的空間與保存知識，其實「人」是最關鍵的。藏書空間的濕氣與溫度，太陽光的照射範圍等等，這些自然因素嚴格來說都是可避免的，只要你是個愛書人，好好對待書，懂得照顧保存的方法，書自然就能好好跟著你。書中提到不少有趣的故事，例如我們對於圖書館員的想像與現實就是一件有趣的事，我們總覺得圖書館員應該是最愛書、最懂書，每天生活在書海中，卻不知，對某些人而言，這只是他們的工作，之前和書友們曾討論過一件事，圖書館很喜歡把館藏圖書章蓋在正中間，條碼用膠帶黏貼在封面。固然可以理解是為求作業方便，加上磁條防止偷書賊的考量。但總歸來說，對他們而言，書只是一個工具性的存在，一個讓人閱讀、使用的物件，並未考慮應該如何妥善保存，或以哪種姿態保存？尤其是裝幀漂亮的老書、古書或史料文獻，對於館藏章鈐印的位置，應該審慎，如果是名家設計、雅緻獨特的書封就這樣被破壞了，更是可惜。雖然這幾年感覺上對待書的保存意識有比較提升，臺灣圖書館也曾辦過圖書修復的工作坊，希望讓全臺圖書館從業人員與一般愛書民眾能增加對書籍保存的知識，例如不要使用不可逆的材料如白膠來修書，或是使用膠帶黏貼書頁，增加紙張酸化的速度。

除圖書館員外，最常接觸大量書籍、生活周遭充滿書籍的應該就是收藏家了，照理說，收藏書的人應該是最懂書的人。從古到今，藏家百百種，有可能他囤積一整間屋子的書，但說穿了也就是某種裝飾。買書集書跟如何保存書其實是兩件事情。有位知名藏家，家中收藏豐富，讓人嘆為觀止，當中有不少十九世紀的老書，紙張天然質純，裝幀精美，但這一大本書被兔子啃得變成橢圓形，看了讓我是又傻眼又好笑，該說這隻兔子真的很識貨、很博學嗎？藏書家的兒子還問我說：「這樣的書還有用嗎？」我真不知怎麼回答，只能開玩笑問他說：「那兔子有活得長命一點嗎？」

有些收藏家甚至會裁割書頁，只保留自己喜歡的部分，如收集版畫圖樣。在國外逛書店很容易會遇到，尤其是一些早期的插畫繪本，常常翻著翻著裡面就有缺頁，可能前任書主就是特別喜歡這張。或是原書況不佳，品相太差，但圖片完好，就裁切畫片單獨出售。這讓我想到我們曾舉辦過「童話的藝術：二十世紀初英文插圖繪本展」，關於二十世紀英國黃金時代的精美繪本，迴響熱烈。到二〇一七年舉辦第三回時，我們是以畫片的形式呈現，很多年輕的愛好者非常開心，因為原本一部上萬塊的繪本書對他來說也許負擔不起，但一張張的畫片，不但便宜又可以選擇他們所想要的。

雖然當時大家都很開心，我們卻也很害怕，讓人誤以為是我們動手把百年前的老繪本任意裁切割裂。事實上這批畫片的由來也是挺有趣，之前和我們合作的藏家在某次的拍賣會上剛好看到這批東西，原主人可能也是位插畫家，出於工作上的需求和創作參考，他收藏很多不同作家的插畫，所以整批東西都是當時最知名的插畫家的作品。而我們很幸運能以這樣的呈現方式讓更多人去接觸和擁有。換個角度來說，裁切書本，對書本身是破壞，理應是不恰當的舉措，但隨著時間，物件流轉，對現代的我們而言，以推廣舊書與印刷文化的角度來說，反而造就了一個難得的機會，可以讓更多人親近、了解，甚至擁有這些精美的插圖。這是個特例，對我而言，也是一次幸運且有趣的經驗。

至於說到蟲害，我印象最深的是，多年前，我們經手過一件趙孟頫的手卷，上面有歷任收藏者與品鑒者的題跋，最後是溥儒的題跋，整卷被蟲蛀蝕得密密麻麻，但還是能約略看出趙孟頫優美墨跡，於是我們跟一位收藏家提起這件事，他表示願意收購。因為趙孟頫在詩、書、畫、印上皆有很高造詣，藏家認為花錢重新修復這難得一見的大師手跡是非常值得的，趙氏精通行書、楷體，獨創「趙體」，對後代書法藝術影響深遠。我們委托當時一位香港非常知名的裱畫師傅為他修復。裱畫的費用幾乎等於我們販售價錢的四倍，但藏家仍然非常願意，當然前提是交由一位非常專業的修復師來處理。作品修復後的樣貌非常有意思，即使每個字都略有殘損，但展卷流露的墨韻中，仍可以看到大師的筆意跟力道，手卷或許因為年代久遠、戰火流離，造成人為保管的不良，讓它蛀蝕嚴重，喪失原來的面貌，但對於收藏家來說，這已是一件歷史文獻，重新修復後，讓後人有機會一窺幾百年前大師的真跡，因緣巧合，也變成一件有故事的作品了，這當然是一個美好的例子。一如書中所提及的，我們也遇過不懂裝幀的裱褙師傅，把原來破舊損毀的書籍，用自己的意思改裝，完全失去了原有的美感跟歷史的樣貌。但這也是無可避免的，畢竟並不是每個人都有能力理解書籍歷史與裝幀修復的知識與技術，我們只期待真正的收藏家以及圖書館、博物館等有機會保存文物的單位，能有更專業的思維和態度來對待這些有歷史價值的文物和書籍了。

本書於一八八〇年首次出版，描述的案例事蹟、當時社會狀態和歷史環境，跟今日不盡相同，例如「僕人與孩童」一章，談及女僕對書籍的不尊重與不理解，這大概跟今日社會有很大的差異，就我們的經驗而言，有越來越多的女性收藏家和愛好者，她們對書籍的保存與愛惜完全不輸給男性收藏家，這個差異點也是古今變遷的不同。書中有很多關於書的趣事跟軼聞，以及保存紙質文獻豐富的知識，還是會帶給愛書人對於書的歷史和藏書的價值有一些新的感受。我想不論是一個普通讀者，或是嗜書癮君子，甚至是藏書家，都能從其中體驗到書的價值和意義，這是一本有趣、易讀易懂的好書，推薦給大家！

譯者序

跨越時空，傳遞老收藏家走訪各地探尋書本奇珍軼事的悲喜之情

李函

書本對讀者而言，經常只有被握在手上時，才擁有存在的價值。當你將手上的書放回架上時，它就如同回到狗屋中的小狗，得在主人離開時自行應付周遭的一切。被遺留在書架上的書本，不見得就處於安全之中。隨著架上的書越來越多，得到的關注也相對減少。直到數月後的某一天，當書主無意間再度從架上取下

書本時，卻訝異地發現：原本潔白的書頁上佈滿了黃色污漬，有幾頁則沾黏在一起，甚至發出淡淡的異味。這還能不抹殺書主對書的愛嗎？不過，書主在照顧書本上的馬虎心態自然難辭其咎。

威廉．布雷德斯身處大英帝國的黃金歲月：那是帝國主義的高峰時期，使英國的學者與收藏家們易於獲取稀有的藏書。在蒸氣印刷盛行的當下，用更簡陋的工法製作的牛皮紙手抄本，反而更受到收藏家們的青睞。然而，並非所有收藏家都會珍惜自家圖書室中的珍貴古籍。不少書本反而在不良的收藏狀況下，承受了無法挽救的傷害。無論是人為或天然因素，書本對傷害的負荷程度都沒有一般人想得來的強。特別是對收藏家而言，部分古書原本就已受損，如果再加上後天照顧不周所引起的損害，它們反而容易變為一堆廢紙。布雷德斯身為資深收藏家與愛書人，自然理解書本保存看似簡單、實則困難的原理。當古書因惡劣的保存環境而毀損時，消失的不僅僅是書中的知識，還有以各種失傳技術所製造出的書籍本身。在識字人口不多的古代，失去書本並不是大事；但到了十九世紀，藏書家們卻不約而同地感受到缺乏養書認知所引發的問題。種種人為疏失，導致對此感到怒氣衝天的布雷德斯決定下筆，痛責各種影響書籍保存的問題。

然而，不同於一般艱澀難懂的學術論文，布雷德斯筆下的《此乃書之大敵》卻帶了種特殊的親切感。本身就是重度藏書家的他，在書中加入了不少自己的經驗與奇聞軼事。本身並不具科學背景的布雷斯特，在描述各種有害書本的元素與問題時，參雜了許多自身見解，或是從他處聽來的傳聞。用現代眼光看來，這樣的敘述也許相當好笑，但卻忠實地反映出十九世紀收藏家們重視的各種事項。從火與水等天然災害、各類書蟲的習性、到人為疏失所造成的破壞，布雷德斯緩緩道來各類在他眼中無可饒恕的毀書行為，並舉證分析該為此負責的各方人事物。

與其說《此乃書之大敵》是極度深入的科學研究，倒不如說是老收藏家多年來走訪各地尋找奇異書本的感想與心得。閱讀本書的經驗，就像是作者本人坐在爐火旁，嘮叨又有些關切地向讀者傾訴自己對書本的擔憂，與因應各類問題的解決方案。對布雷德斯而言，書本不只是知識寶庫，還身為精心雕琢而出的工藝品。除此之外，書本也反映了製造時代的各種特色。就算印出再多複本，也無法還原老書中的歷史價值。從字裡行間中不難發現，布雷德斯注重的是書本中層層疊疊的人文元素。無論是印刷匠的巧思，或是書籍內容受到的各類時代性影響，都是會讓作者的蒼老臉龐上露出一抹笑容的事物。《此乃書之大敵》中的資訊以現代而言不見得精確，書中描述的護書方式也因為時代背景，而顯得與現代人的生活有不少隔閡，卻無法阻止讀者感受布雷德斯對書本的熱情。這名書之友筆下的大敵們，也依然存在於現代；但又有多少讀者願意花下如同布雷德斯般的心思，好好對待架上脆弱的書籍？即便在充滿更多閱讀工具的二十一世紀，書本依然經常受到殘害。就算在大型書店，也能常常發現嚴重破損的展示用書；無論讀者或書店，都該為此負起責任。公德心與對書本的尊重，即便在《此乃書之大敵》出版後的兩百年，似乎也毫無改善。或許我們無法使每個人都成為書之友，但至少，不該讓自己淪為書之大敵才是。

第一章

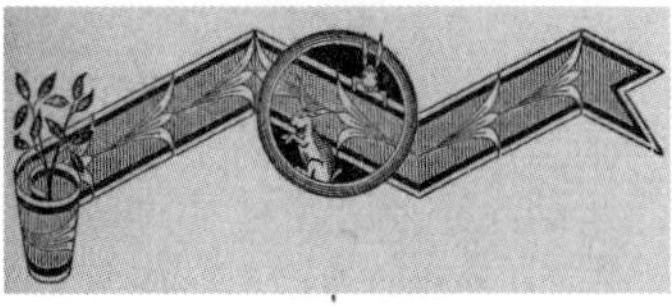

火

有許多自然因素會傷害書本，但最具毀滅性的莫過於火。在此不列出遭受祝融之災的各類圖書館與書籍寶典，那太單調了。意外起火、蓄意縱火、司法篝火、甚至是家用火爐，都經常使這些瑰寶和古老垃圾一同灰飛煙滅；這種狀況可能會持續到世上剩下不到千分之一的書。不過，這類毀滅行為不全算是損失；如果沒有「淨化之火」將住家中堆積如山的垃圾焚毀，人們就得採取極度毀滅性的手段，奪回存放如此多書卷的空間。

在印刷術發明前，書本數量相對稀少；即便在蒸氣印刷[1]發明的半世紀後，現在我們明白，要收藏五十萬本書有多難，因此心懷狐疑地收下了舊時代作家在古老圖書館中的完美作品。

質疑許多事物的歷史學家吉朋（Edward Gibbon），卻對此議題毫無疑心。隨著時間流逝，保有埃及及托勒密王國世世代

1 編注：柯尼希（Friedrich Gottlob Koenig）與鮑爾（Andreas Friedrich Bauer）於一八一四年研發並成功用此技術印製了《泰晤士報》，兩人成立的印刷公司 Koenig & Bauer 至今仍持續經營，是為世界上現存的印刷公司中，歷史最悠久的一間。

代留存的手抄本的圖書館肯定成為世上最知名的收藏地；手抄本昂貴的裝飾，與未知內容的重要性也為世界所知。這樣的圖書館有兩座位於亞歷山大城，較大的圖書館則位於名叫布魯丘（Bruchium）的地區。就像其餘早期手抄本，這些稿件用羊皮紙寫成，上下兩端都有木製把手，以便讀者一次展開一小部分。當凱薩於西元前四十八年進行亞歷山大城攻城戰時，大部分的藏書都遭到焚毀，其餘的則在西元六四〇年被薩拉森人燒毀，人類因此蒙受莫大損失；但當聽說有七十萬、或甚至五十萬冊手抄本被毀，我們便直覺地認為這種數目肯定是誇大。且當我們聽聞數世紀後，迦太基（Carthage）有五十萬冊手抄本被燒，以及其他類似事件時，必然也會同樣感到不可思議。

以弗所的毀書事件

保羅在以弗所

亞波羅在哥林多的時候，保羅經過了上邊一帶地方，就來到以弗所；

在那裡遇見幾個門徒，

問他們說：你們信的時候受了聖靈沒有？他們回答說：沒有，也未曾聽見有聖靈賜下。

保羅說：這樣，你們受的是什麼洗呢？他們說：是約翰的洗。

保羅說：約翰所行的是悔改的洗，告訴百姓當信那在他以後要來的，就是耶穌。

他們聽見這話，就奉主耶穌的名受洗。

保羅按手在他們頭上，聖靈便降在他們身上，他們就說方言，又說預言。一共約有十二個人。

保羅進會堂，放膽講道，一連三個月，辯論神國之事，勸化眾人。

後來，有些人心裡剛硬不信，在眾人面前毀謗這道，保羅就離開他們，也叫門徒與他們分離，便在推喇奴的學房天天辯論。

這樣過了兩年之久，叫一切住在亞西亞的，無論是猶太人，是希利尼人，都聽見主的道。

神藉保羅的手行了些非常的奇事；

甚至有人從保羅身上拿手巾或圍裙放在病人身上，病就退了，惡鬼也出去了。

那時，有幾個遊行各處、念咒趕鬼的猶太人，向那被惡鬼附的人擅自稱主耶穌的名，說：我奉保羅所傳的耶穌勒令你們出來！

做這事的，有猶太祭司長士基瓦的七個兒子。

惡鬼回答他們說：耶穌我認識，保羅我也知道。你們卻是誰呢？

惡鬼所附的人就跳在他們身上，勝了其中二人，制伏他們，叫他們赤著身子受了傷，從那房子裡逃出去了。

凡住在以弗所的，無論是猶太人，是希利尼人，都知道這事，也都懼怕；主耶穌的名從此就尊大了。

那已經信的，多有人來承認訴說自己所行的事。

平素行邪術的，也有許多人把書拿來，堆積在眾人面前焚燒。他們算計書價，便知道共合五萬塊錢。

主的道大大興旺，而且得勝，就是這樣。
這些事完了，保羅心裡定意經過了馬其頓、亞該亞，就往耶路撒冷去；又說：我到了那裡以後，也必須往羅馬去看看。
——《使徒行傳》19

毀書事件中最早期的紀錄之一，來自聖路加（St. Luke）；在保羅佈道過後，許多以弗所人（Ephesian）「用書行邪術，法老把他們的書當眾焚毀，總價值五萬枚銀幣。」（《使徒行傳》19：19）這些充滿迷信式占卜與煉金術、咒語和巫術的書本，都被可能會受其精神傷害的人們摧毀；再者，就算這些書當時逃過祝融之災，也不可能留存到今日。沒有任何來自該時代的手抄本存在於當代。不過，我必須坦承：當我想到價值五萬枚迪納流斯幣，大約等於現今一萬八千七百五十英鎊[2]的書被燒毀，就感到一陣不安。早期的異教信仰、惡魔崇拜、蛇神信仰、太陽崇拜、和其他古老宗教，究竟能產出哪種特別的繪畫呢？還有來自埃及人、波斯人、古代的天文學與化學的知識。以及眾多迷信性質的宗教習俗，和現在被稱為「民俗」的舊習。對哲學系學生而言，這些書籍中藏有多少瑰寶？現在擁有少部分這些書的圖書館，又會變得多有名？

以弗所的遺跡足證該城市幅員廣闊，也擁有華麗的建築。這是其中一座擁有自我管理權的城市。它在神廟與偶像的販賣上非常廣泛，影響遍佈已知的國度。當地的魔法習俗非常受歡迎，而儘管早期基督徒曾多次企圖讓市民改變信仰，所謂的「以弗所咒語」（Efesia grammata），也就是上頭寫有魔法語句的小卷軸，一

2 這裡提到的「銀幣」是羅馬迪納流斯幣，那是當時以弗所（Ephesus）常用的銀幣。如果我們將一枚迪納流斯與現代銀幣相對比，它等於九便士，而五萬五千枚九便士，就等於一千八千七十五英鎊。不同時代的硬幣相對價值總是很難估算；但如果昔日貨幣比當代的金額高上十倍，我們就能估算出被焚毀的魔法書大約價值：一萬八千七百五十英鎊。

直到四世紀都相當熱賣。這些「著作」被用在占卜上，作為抵禦「邪眼」的保護措施，以及避邪的護身符。大家隨身攜帶這些護符，所以當口若懸河的聖路加說服聽眾們相信他們的信仰是迷信時，可能有上千只護符被丟入火焰中。

想像有一處開闊場所，地點靠近宏偉的黛安娜神殿，周圍則環繞著壯麗建築。使徒站在比人群稍高的地方，利用佈道強烈批判迷信，將圍觀群眾迷得團團轉。人群外圍有好幾堆篝火，猶太人與非猶太民族將一綑綑的卷軸拋入火中；一名亞細亞官員和手下的保安官，則帶著世界各地各時代警員的肅穆態度觀看這一切。那肯定是相當驚人的一幕，皇家藝術學院[3]的牆面上的繪畫景象完全無法比擬。

早期，無論書籍的宗教性正統與否，它們的存亡似乎都岌岌

[3] 編注：Royal Academy of Arts，位於英國倫敦，創立於一八三七年，是史上唯一在校生全為研究生的藝術設計大學。

可危。每次爆發迫害事件，異教徒便會燒毀能找到的所有基督教文本；而基督徒只要一佔上風，也會積極反噬異教文稿。伊斯蘭教徒毀書的理由——「如果書中含有可蘭經的內容，這些書就十分多餘；如果內容反對可蘭經，這種書便道德淪喪。」這種「準用」[4]想法，似乎是這類毀書者的一貫理念。

印刷術的發明讓摧毀任何作者的書籍變得更為困難，因此書本迅速地傳播到各地。另一方面，當書本數量增加時，毀書行為也和印書狀況與時並進；印刷書本很快就體會到同樣的火刑之苦，在那之前只有手抄本會被焚燒。

一五六九年的克雷莫納[5]，有一萬兩千本以希伯來文印製的書，被當作異端邪說後遭到公開燒毀，理由只因為書上的語言；而在攻佔格拉納達（Granada）後，希梅內斯主教（Cardinal

4 譯注：mutatis mutandis，邏輯與法律用詞，意指在細節上做必要修正。

5 編注：Cremona，義大利北部的一個城市，是為小提琴製作的發源地之一。

Ximenes）也讓五千本可蘭經落入同樣的下場。

英格蘭宗教改革時也發生了大規模的毀書事件。古文物收藏家貝爾（Bale）在一五八七年寫下了修道院圖書館的恥辱命運：

「有許多人從存放圖書館書籍的迷信大宅（修道院）中買下書籍，有些人把書丟進廁所，有些用書來擦拭燭台，還有些則拿書來擦靴子。有些書被賣給雜貨商與小販，有些則送到海外給裝訂工；這些書的數量並不少，有時有整艘船的量，被送到神秘的海外國度。沒錯，本國大學對此丟臉事件並不全然知情，但用這種卑鄙行為賺錢填飽自己肚子的人，肯定會遭到天罰，也讓自己的祖國蒙羞。我認識一名商人，先不提他的名字，他用四十先令的價格從兩座高貴的圖書館中買下這種書；這種事說起來真丟臉。這些書用灰紙製成，已經有十年以上的歷史，也還能撐很多年。這是個顯著的範例，所有愛國人士也得注意。修道士們讓這些書積滿灰塵，愚蠢的教士們毫不在乎它們，書本日後的主人也更無視它們的處境；而貪心的商人們則為了金錢，將書本賣到外國。」

一想到卡克斯頓[6]翻譯的奧維德（Ovid）著作《變形記》（*Metamorphoses*）、或是他筆下的《牛津伯爵的一生》（*Lyf of therle of Oxenforde*），與許多現在已不再存世的我國初版書籍，都被拿去當「烤派」的燃料，就不禁令人感到一陣心寒。

一六六六年倫敦大火時，有大量書本被燒毀。在私宅、市政建築、和教會圖書館中的無價藏書都化為灰燼；還有一大批被出

6 譯注：William Caxton，十五世紀將印刷術引進英格蘭的第一人

1791年，法國大革命兩週年，暴民劫掠普里斯萊博士的家，並將之燒毀。

版商從主禱文路（Paternoster Row）移到安全處的書，在聖保羅大教堂（St. Paul's Cathedral）的寶庫中被燒掉。

在近代，我們真該感謝柯頓藏書[7]的保存行為。當西敏市的亞許朋漢屋（Ashburnham House）發生火災時，一七三一年的文學界大為震驚；當時柯頓手抄本就收藏在該處。大火被努力撲滅，但許多手抄本已經被毀，也有很多人受傷。在修補這些被燒得幾乎不成原型的書本時，修護人員展現出高超的手藝；小心將書一頁一頁分開，浸泡至化學溶液中，然後在透明紙張之間壓平。大英博物館手抄本區的某個玻璃櫃中，有堆處理過的奇特焦黑書頁，看起來就像黃蜂怪物的巢；表露出許多書稿的下場。

一百年前，暴民在「伯明罕暴動」（Birmingham Riots）中燒毀了普里斯萊博士（Dr. Priestley）寶貴的圖書館，而「戈

7 編注：Cotton Library，古董與古書收藏家柯頓爵士（Sir Robert Bruce Cotton）所保存的一系列手稿統稱，後來這批手稿也成了大英圖書館的重要藏書。

「戈登暴動」景象。

登暴動」（Gordon Riots）時，知名法官曼斯費爾德公爵（Lord Mansfield）的書籍與其他收藏品則遭到燒毀；他是首位勇於率先認定抵達英格蘭海岸的奴隸，將重獲自由之身之人。後者藏書的毀滅，讓詩人威廉・古柏（William Cowper）寫下了兩首又短又貧瘠的詩文。詩人先婉惜了寶貴印刷書的消逝，接著哀嘆公爵遭焚毀的許多個人手抄本與當代文件，將永遠消失在歷史上。

書頁扭曲、燒焦且裂開，
這是他的個人損失；
但未來的世代
將悲嘆文化的消逝。

第二首詩則用以下打油詩開頭：

當智慧與天資
葬身火窟，
便向我們演繹了羅馬的命運
並要我們心生警惕。

普里斯萊博士更精緻且廣泛的藏書並未受到天主教詩人的注意；詩人可能一想到異端書籍遭毀，就感到得意洋洋，因為書本所有人是位一位論派[8]牧師。

史特拉斯堡（Strasbourg）宏偉的圖書館於一八七〇年遭德國軍隊的砲彈炸毀，許多獨特文稿從此消失，其中包括史上最早

8 編注：Unitarian，一位論派是種否認三位一體和基督的神性的基督教派別，強調上帝只有一位，而非傳統基督教相信的上帝為三位一體（即聖父、聖子和聖靈）組成。

1880年的亞許朋漢屋。

的印刷商古騰堡（Johannes Gutenberg）與其夥伴們之間知名的訴訟紀錄，內容旨在爭論古騰堡是否為印刷術的發明者。火焰蔓延到高聳的磚牆之間，燃燒聲響比鍋爐發出的噪音還大。連羅馬戰神馬爾斯（Mars）與冥王（Pluto）都鮮少得到如此豐盛的祭品；在戰場的噪音，以及大砲的巨響中，初版聖經與許多無價書本的灰燼飄上天空，塵埃乘著熱空氣飄浮了好幾英哩，使震驚的國人得知首都遭毀一事。

當奧佛藏書（Offor Collection）被威靈頓街（Wellington Street）的知名拍賣商蘇富比與威金森先生（Sotheby and Wilkinson）送上競標台，而拍賣會進行到第三天時，隔壁的房子發生火災；火勢延燒到拍賣室，迅速焚毀了展示中那獨特的班揚[9]作品與其他稀有物品。隔天我得到探訪遺跡的許可；在爬上梯子，又奮力掙

9 譯注：John Bunyan，十七世紀基督教作家，其著作《天路歷程》（*The Pilgrim's Progress*）與《神曲》、《懺悔錄》並列為宗教類經典文學著作最著名的三部作品。

扎了一段路後，就踏入了拍賣室還留有部分地板的地方。一排排燒焦的書還擺在架上，看了著實怵目驚心；特別的是，火焰先燒掉了書本背部，接著延燒到書架上，並燒掉架上書本的前緣，使大部分書籍都保持完好的橢圓形白紙中心；上頭文字完好無缺，書皮周遭則被燒成黑色灰燼。受損書本以一小筆金額賣出，而買家在花了好一段時間分類、修復、和裝訂後，將大約一千冊的書本在隔年交由普提克與辛普森先生（Puttick and Simpson's）公司出售。

當位於奧斯丁修道士荷蘭教堂（Dutch Church, Austin Friars）中的老圖書館，差點在一八六二年的教會大火中被燒毀時，倖存的書本也遺憾地受損了。不久之前，我在該處花了點時間找尋十五世紀的英格蘭書籍，也永遠忘不掉我拍掉的大量塵埃。在沒人照料它們的情況下，乏人問津的書本上十年來積了半英吋厚的灰塵！接著大火發生，當屋頂正熊熊燃燒時，大量熱水像滾燙的洪水般沖刷到書本上。幸好它們沒變成濕黏的一灘紙糊。在一切結束後，因為教堂內部無法合法出售，整座圖書館便租借給倫敦市法團（Corporation of London）。燒焦又泡濕過的損壞書本落入了倫敦市法團孜孜不倦的圖書館員奧佛歐（Overall）先生手中。在租來的閣樓中，他將結構還算完整的書，像曬衣服般掛在繩索上晾；許多扭曲又骯髒的書本，不僅缺乏封底，也只剩下幾頁，但都受到小心地看顧並曬乾。沖洗、上漿、壓平、和裝訂，從而產生奇蹟；今日，當人們觀看市政廳圖書館（Guildhall Library）中標記「倫敦——比利時教會圖書館」（Bibliotheca Ecclesiae Londonino-Belgiae），並看到成排印刷字體的美麗書封時，肯定難以想像不久前，這座城裡最特別的文學收藏，外觀看來價值曾連五英鎊都不到。

第二章

水

談完火之後，我們得將水的兩種狀態（液態與氣態），列為最可怕的書本破壞者。曾有上千本書葬身海中，也只有負責運輸的水手們見過它們。迪斯雷利[1]曾講述過，大約在一七〇〇年，米德爾堡（Middleburgh）一位名叫希爾・赫德（Heer Hudde）的富裕市長，花了三十年在旅行中假扮成中國人，在天朝境內四處遊走的故事。他在各地收集書本，其藏書最後也被安全送上前往歐洲的船；但這艘船從未抵達目的地，因為它在暴風雨中翻船，使希爾・赫德的祖國蒙受重大損失。

知名的馬非・佩納里（Maffei Pinelli）死於一七八五年，他的藏書在全世界享有盛名。佩納里家族花了好幾世代收集書本，其中包別獨特的希臘文、拉丁文、與義大利文作品；許多都是初版書，附有美麗的插圖，其餘收藏還包括從十一世紀到十六

1 編注：此指班傑明・迪斯雷利（Benjamin D'Israeli，一八〇四—一八八一），英國政治家、作家與貴族，曾兩度擔任首相。

世紀的大量手稿。所有藏書都被遺囑執行人賣給帕摩爾街（Pall Mall）的書商愛德華茲先生（Edwards），他則用三艘船將書本從威尼斯運到倫敦。被海盜追逐時，一艘船落入了對方手中；但因為海盜們對尋無寶藏感到光火，便將所有書扔進海裡。其他兩艘船成功脫逃，並順利將貨物送達目的地；在一七八九年到一七九〇年之間，這批差點遭殃的書則在康都伊特街（Conduit Street）的大廳中以超過九千英鎊的價格拍賣。

這些海盜比穆罕默德二世（Mohammed II）更能令人諒解；當穆罕默德二世在十五世紀征服君士坦丁堡，並放任手下的放蕩士兵們洗劫這座信仰虔誠的城市時，他下令將所有教堂，和君士坦丁大帝的大圖書館中一萬兩千份手稿全數丟進海中。

圖書館中，雨水沿著長春藤滲入書架。

在雨水的形態下，水經常造成無法補救的傷害。幸好圖書館中鮮少有水氣存在，不過一旦出現，就會造成極大的破壞；長時間下來，紙張成分便會受到不良影響，並腐爛到所有纖維都溶解，紙則變成一碰就碎裂的白色粉塵。

英格蘭有幾家老圖書館就跟三十年前一樣受人忽視。我國許多大學與大教堂博物館當時的狀態都非常可怕。我有很多範例可說；其中一個，是圖書館窗戶破了很久，藤蔓則長入裂口中，蔓延過一整排書，上頭每本書都價值數百英鎊。下雨時，雨水就如同被水管傳輸般，從書頂順流而下滲入整本書。

在另一處規模較小的藏書區，雨水則從天窗直接灑在書架上，使藏有卡克斯頓出版品與其他早期英格蘭書籍的高架泡在水中；儘管已經腐爛，其中一本書不久後卻在慈善委員會[2]成員的

2 編注：Charity Commission，於一八五三年成立，負責管理英格蘭與威爾斯註冊慈善單位。

允許下，以兩百英鎊的價格賣出。

在印刷術的發明地德國，相同的毀書事件也繼續猖獗地發生，以下在一年前（一八七九年）寄到學院中的信件可能也說明了這件事：

「在過去一段時間裡，沃爾芬彼特爾（Woffenbuttel）的圖書館狀況非常糟糕。整棟建築物非常危險，部分牆面和天花板開始剝落，屋內的眾多藏書與手稿也被濕氣和腐蝕影響。為求不讓這批寶貴藏書毀壞，已經發出了經費申請，目前館藏也能被轉移到布蘭茲維（Brunswick），因為沃爾芬彼特爾作為交流中心的功能已完全被廢棄。關於前任管理人萊布尼茲（Leibnitz）與萊辛（Lessing）的虛假懷念都不應阻礙此計畫。萊辛本人會率先要求優先考量圖書館與其使用狀態應該考量上述所有事項。」

沃爾芬彼特爾的藏書相當壯觀，但我只希望上述報告是誇大後的結果。如果這些書只因為一丁點屋頂修繕費就遭到損傷，那將對我國造成莫大恥辱。祖國有許多愛書人，因此發生這種事相當不可思議，圖書史上並未充斥類似的褻瀆事件。[3]

蒸氣狀態的水也是書本的大敵，書裡書外都會受到濕氣攻擊。它會讓書本外皮長出白色黴菌或是蕈類，它們生長在頁面邊緣、書腰、和裝訂連接處。它們很容易被抹掉，但霉斑處會留下明顯痕跡。顯微鏡下的霉斑看起來像迷你美麗樹林，上頭覆滿了白色葉片，樹根則嵌入皮革中，並摧毀了皮革的質地。

書中的濕氣會幫助醜惡的棕斑生長，棕斑經常會毀損印刷品

3 本書於一八七九年寫成，之後已蓋了新建築。

與精裝書。棕斑對本世紀初印刷的書本特別具有傷害性，當時造紙工剛發現能將棉紙染白，印刷後被壓平的完美白紙則成為風潮。這種被用於中和漂白劑的不良方式所製造出來的紙，本身就含有導致腐朽的潛在因素；一接觸到濕氣，就會使紙立刻泛出棕色斑點。迪布丁博士[4]華麗的書籍作品大多受到嚴重損壞；儘管博士的書目充滿錯誤，頻繁的空洞言論與無趣又做作的想法也經常讓人感到煩悶，但他的書充滿華美的插畫，也常包含私人軼事，這使得出現在他最佳作品上的腐朽污漬看起來更令人難過。

在乾燥又溫暖的圖書館中，這些污漬可能不會擴大，但許多受捐贈書籍或私人藏書並不會經常使用，也經常受害於一項誤解：只要氣候乾燥，霜害與長期低溫就不會損害圖書館。其實，書本不該暴露在低溫下，因為當融霜時，天氣變得溫暖，空氣中

4 編注：Thomas Frognall Dibdin，藏書家與牧師，著有《藏書癖或書狂症：關於此致命疾病的歷史、症狀以及治療方法》（Bibliomania, or Book-madness; containing some account of the history, symptoms, and cure of this fatal disease）。

的水氣就會滲透書本最深處的縫隙，並竄入書本或書頁之間，將水分撒上書本冰冷的表面。對此，最佳防治方式就是在結霜時營造暖空氣，融霜後才突然加熱是沒有用的。

我們最糟糕的敵人，有時卻是最真誠的朋友，而讓圖書館完全避免濕氣的方式，便是讓我們的敵人以熱水型態流過鋪在地板底下的管線。目前能從室外提供加熱管線的設施相當廣泛，花費也相對少，對排除濕氣的幫助也很大；當事情不太麻煩時，就值得去做。

同時，加熱系統不可取代開放式通風口，它能提供的空調功能，對書本和居民的健康都很有幫助。炭火則相當不推薦。它危險、骯髒、又充滿塵埃。另一方面，如果石綿爐被整齊地擺好，就能散發出一般火爐帶來的溫暖與空調功能，而不會有火爐帶來的所有問題；而對偏好不雇用僕人的人而言，得記好無論自己抱著書睡得有多熟，火依然不會持續燃燒，因此石綿爐十分重要。

有人認為將書保存在玻璃門書櫃裡，是最好的保存方式；這也是個錯誤。濕氣會直接滲入櫃中，缺乏通風還會增強黴菌生長，書本的狀態會比放在開放式書架上來得更糟。如果沒有安全性顧慮的話，就以裝飾用銅條來取代玻璃。古代食譜作者會在特殊食譜上，留下代表個人經驗的印章；依此慣例，我也能說「已有實證」。

第三章

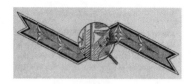

煤氣與高溫

煤氣真是個有用的工具，如果家裡少了它，我們可會哀鳴不斷；然而愛書的人不該讓任何一丁點煤氣飄進自己的圖書室中，除非他能得到「天窗」，有時公立圖書館會有這種設施，讓蒸汽立刻飄散至外頭的空氣中。

不幸的是，我能以個人經驗，講述煤氣在封閉空間中的可怕效果。數年前，當我將書架擺在自己委婉稱為圖書室的小房間內時，我小心地將兩座自動空調器擺在天花板下，讓它們直接與外頭的空氣接觸。為了節省空間和調節溫度（因為各種燈都會帶來可怕麻煩），我在桌上擺了有三只燈座的煤氣燈。這樣做是為了幫上層加熱，而一兩年內，窗邊的皮革窗簾，以及為了防塵而垂在每座書架上的半英吋窗簾邊緣，都成了助燃物，有些部分還因為重量而掉落地面；高架上的書背因此被毀，一碰觸就崩落瓦解，變成類似蘇格蘭鼻煙粉的塵埃，原因是煤氣中的硫磺。我記得多年前曾在倫敦學院（London Institution）圖書館最高的書架上拿了一本書；館內使用煤氣，而儘管書本的其他部份似乎毫髮無傷，但整塊書皮卻掉落在我手上。還有上千本書也遭受到相同命運。

如果書本中的紙張沒有受損，煤氣就不會被認為是書本的威脅之一，頂多只傷害封面；但是，重新裝訂的過程總會使書變得更小，書本開頭或末端的書頁也會被移去，因為裝訂工覺得那幾頁並不必要。噢！我看過很多裝訂工捅出的災難！你也許能展現自己最厲害的一面：寫下詳細指示，彷彿在寫遺囑與交代事項；你也能發誓，如果書本受損，就不付錢——這一切都沒有幫助。裝訂工的信條非常簡短，只有一條規範，規範中也只有一個髒字：「削薄。」但我現在不提這個難過話題：身為書之大敵，裝訂工理應有一整篇屬於自己的章節。

批判煤氣比找到解決方式還簡單。陽光需要特殊室內設計，根據消耗的煤氣量，天窗的裝設價格可能也很貴。未來的圖書館照明肯定需要電燈。如果它們的價格穩定又恰當的話，對公立圖書館而言就有非常大的幫助；也許距離電燈取代煤氣的日子已經不遠了，即使在住家中也一樣。這對文字工作者肯定是值得慶祝的一天。我國的國立圖書館館長們都認同煤氣對書造成的傷害，並嚴格禁止煤氣進入館內，儘管爆炸和火焰帶來的危險比較起來更大，毀書就已經是足以驅逐煤氣的理由了。

大英博物館的閱覽室中已經使用電燈很長一段期間，對讀者也很有幫助。光線不太會散開，因此想順利做事的話，就得找個適當位置。也有很多人極力排斥電流帶來的嗡嗡聲。還有更多人對掉在自己光頭上的炙熱粉塵感到不滿，這點在最近（一八八〇年）透過在燈座下裝設容器而解決。你也得習慣電燈發出的白色光線。但儘管它有這些缺點，對學生依然很有幫助，讓他們在冬天不只能多念三小時的書，也把霧濛濛陰天帶走的時間還給他們；之前在這種天氣下，完全沒辦法看書。[1]

儘管高溫沒帶來煩人蒸氣，如果它持續出現，就會對書造成損害；而在沒有煤氣的情況下，乾燥空氣又會摧毀裝幀，皮革會因為暴露在高溫下，而失去天然油脂。因此，將書在熱氣會上升到高處的房間中堆高是很糟糕的事；如果熱氣能使下方的讀者感到舒適，溫度肯定就高到能傷害高處書籍的裝幀。

最能保護你藏書的方式，就是把它們當親生孩子般照顧；如

1 一八八七年。目前使用的系統依然是「西門子」（Siemens），但由於長期經驗與改善，它並不受到上述問題所苦。

果孩子們被困在太汙濁、太熱、太冷、太濕、或太乾的環境，肯定會生病。這點也同樣能應用在書本上。

如果修道士間的傳說可信，有時在世上受到保存的書本，只會在未來因乾燥而毀。以下故事可能是用來詆毀修道士的學識與能力，因為修道士與世俗的文盲牧師們總是有摩擦。故事如下：「一四三九年，兩名終生都在收集書本的小修道會[2]修道士過世。根據傳言，他們的靈魂立刻被送到天堂接受審判，還隨身攜帶了兩頭滿載書本的驢子。天堂之門的守門人問道：『你們打哪來？』修道士回答：『聖方濟修道院。』『噢！』守門人說，『那該由聖方濟審判你們。』於是聖人被找了過來，而一看到修道士與他們的行李時，便質問對方的身分，以及他們攜帶這麼多書的原因。『我們是小修道會成員。』他們謙卑地說，『我們帶

2 譯注：Minorite，天主教聖方濟會的支派之一。

這些書來，作為在新耶路薩冷中的慰藉。』『當你們在世時，有實行書中的教誨嗎？』聖人嚴厲地訊問道，因為祂一眼便看破對方的性格。他們遲疑的回答足以作證，於是聖人便立刻發出以下判決：『由於受到愚蠢的虛榮心誘惑，還違背了過著貧苦生活的諾言，你們收集這些書，因此遺忘了自身責任，也破壞了教團規範；你們得永遠在地獄之火中讀書。』空氣中立刻爆出巨響，地上也出現了一條冒著火焰的裂隙，修道士、驢子和書本們則全數摔入裂隙中。」

第四章

灰塵與忽視

書本上的灰塵反映了書主的忽視，忽視也或多或少象徵著緩慢的腐敗過程。

鑲金的書頂多能保護書本不受灰塵傷害，而擁有粗糙書頂，且未受保護的書肯定會產生污痕與骯髒的書緣。

在古代，當只有少數人擁有私人藏書時，學院圖書館與市立圖書館對學生很有幫助。當時的圖書館員並非冗職，塵埃也鮮少有機會堆積在書上。十九世紀與蒸氣印刷打造了新時代。無人捐書的圖書館逐漸被時代淘汰，也隨之受人忽視。沒有新書能進入館內，荒廢的舊書也缺乏看顧，更無人閱覽。我看過許多老圖書館，大門一整個星期都沒打開過；在裡頭，每一口呼吸都充滿腐朽紙張落下的粉塵，拿書時肯定也會打起噴嚏。裝滿老書的舊盒子成了書蟲繁殖區，完全沒人撲殺。有時這些圖書館（我說的是三十年前的事）還會被拿來做壞事；如果我們的老祖宗早知道這種事會發生，可是會嚇破膽的。

我還清楚記得多年前的一個明亮夏日早晨，在找尋卡克斯頓作品的途中，我走進了本國一座富裕學院的四邊形建築中，該處位於本國某所知名大學。周圍建築的灰色調與陰暗角落看起來十分漂亮。它們有不俗的歷史，但該校過去的子弟（現今成員亦然）都配不上知名的前輩。太陽放出溫暖的日光，大部分的窗戶也都敞開著。其中一扇窗口飄出菸草的煙霧；另一扇傳來交談的嗡嗡聲；第三扇窗則傳出鋼琴聲。有幾名大學生在樹蔭下手牽手漫步，頭戴破損的軟帽，身穿裂開的長袍——那是上學期留下的驕傲標記。除了一處舊日晷以外，灰色石牆上爬滿了藤蔓；上頭古老的拉丁文紀錄了太陽升起的方位。只能由窗戶形狀和宿舍做出區別的禮拜堂，似乎看守著校園的道德感；對面走出一名穿著白圍裙廚子的食堂，則把持了校園的繁榮感。當你走在平坦的人行道上時，會經過舒適（不，小巧）的公寓，窗邊有蕾絲窗簾，椅子裝了背套；房裡的銀製餅乾盒與邊緣細窄的紅酒杯彌補了學生在課業上的辛勞。鍍金書架或桌面上的鑲金書背吸引了你的目光，而當你將注意力從華麗的室內裝潢轉到四方院中央修剪整齊的草皮時，上頭的古典噴水池也被太陽照得閃閃發亮，你則能透過心眼看到「豪奢與學習的融合」這般字眼。

我想，舊世界的文學在這裡肯定能受到細心照料；覺得週遭充滿完美一致性的我，詢問了圖書館員房間的地點。沒人知道此人的名字，或是圖書館員的身分。他的職位似乎是個榮譽性冗職，照規定由最年輕的「校友」擔任。沒人在乎這份工作，事實上，辦公室的鑰匙根本無法將門鎖打開。最後，我被彬彬有禮的圖書館員沉默地請入他充滿灰塵的無聲國度。當我們經過以往贊助者的漆黑肖像畫時，人像從沾滿塵埃的老畫框中訝異地盯著我們，彷彿對我們說的「工作」感到好奇；書本腐味（那股充斥在特定博物館中的特殊氣味）在空氣中瀰漫，地板佈滿灰塵，使我們跨過的陽光中充滿了漂浮顆粒；書架滿是塵埃，中央的「架子」沾滿灰塵，弓狀窗戶底下的老皮革桌和兩側的椅子也都十分骯髒。回答問題時，我的嚮導認為圖書館某處有份手抄本目錄，但覺得難以透過該目錄找到任何書本，當下他也忘記該去哪找目錄。他說，圖書館目前鮮少有人使用，因為學生有自己的書，不太常需要十七世紀與十八世紀版本的書籍，館內也很久沒有增加新書了。

我們往下走了幾道階梯，踏進一間內部圖書館，數堆早期手抄本零散地落在地上。在一張老舊的黑檀木桌底下，有兩只橡木刻成的長箱。我掀起其中一只箱蓋，裡頭頂端有件曾一度潔白、現在則覆滿灰塵的教士長袍，底下則有一堆文件（都是四開大的國家文件，並未裝訂），全成了蟲子和腐朽的受害者。一切都遭到棄置。這座房間敞開的大門，幾乎與外頭的四方院同高；有幾件大衣、長褲、和靴子被擺在黑檀木桌上，而一名校工正在門內刷著這些衣物（天氣潮濕時，他就在圖書館內做這件事），他對自己身分的異常認知，和我的嚮導完全一樣。噢！理查・迪伯里[1]呀，我嘆了口氣，真希望你語帶不平的諷刺話語，能打穿這些大學蠢漢內心的盔甲。

幸好事情現在不同了，大學裡再也沒有這種忽視問題。在當

1 譯註：Richard of Bury，十三世紀英格蘭牧師與作家，為英格蘭第一位書本收藏家。

今崇尚古典的時代中，讓我們希望沒有其他大學圖書館落入如此處境。

不過，不只英格蘭人虐待自己的書籍瑰寶。以下段落翻譯自一本最近在巴黎出版的有趣作品[2]，內文顯示即使在此當下，就算在法國的文學活動中心，書本依然會歸西。

迪羅姆先生說道：

「讓我們踏進某座大型城鎮的公共圖書館。內部景象十分可悲；塵埃與髒亂已在此生根定居。這裡有圖書館員，但他只算得上守門人，一週只來查看由他負責看管的書一次；書本的狀況很糟，成堆棄置於角落，也缺乏外界關注與恰當裝訂。目前（一八七九年），巴黎有一家以上的公立圖書館每年都會收到上千本

2 《書籍的奢華》（*Le luxe des Livres*），L·迪羅姆（L. Derome）著。八開本，一八七九年出版。

書，而這些書在未來五十年，都會因為缺乏裝訂而消失；其中包括無法被取代的稀有書籍，由於缺乏照顧而損壞。意思是，這些書缺少裝訂，並受到灰塵與書蟲侵襲，一經碰觸就會裂成數塊。」

「歷史告訴我們，這種忽視不限於發生在任何特定時代或國家。我從艾德蒙．維德特（Edmond Werdet）的《書本的歷史》（*Histoire du Livre*）中節錄了以下故事。」[3]

「當詩人薄伽丘（Boccaccio）在阿普利亞（Apulia）旅行時，他非常想拜訪位於卡西諾山（Mount Cassin）的知名修道院，特別是想看自己聽聞許久的圖書館。他彬彬有禮地向其中一名吸引他目光的修道士搭話，並懇請對方帶他去看圖書館。『自己瞧吧。』修道士粗魯地說，同時指向一排破損的老石階。薄伽

3 《法國書本的歷史》，艾德蒙．維德特著。八開本，一八五一年出版。

丘急忙爬了上去，對於能看到典藏書籍感到一陣狂喜。他很快就抵達房間，該處甚至缺乏保護館藏用的鑰匙或門板。他訝異地發現，窗台上的草已經高到讓房間變得黯淡，而所有書本和座椅上也覆蓋了一吋厚的灰塵。他吃驚地輪流拾起書本。這些都是極度古老的手抄本，但也已殘破不堪。許多書有部分遭暴力扯下，許多張牛皮紙的空白邊緣也被割下。破壞行為相當徹底。」

「看到這麼多智者作品落入如此不堪的看守人手中，悲痛的薄伽丘眼眶泛淚地走下樓梯。他在修道院迴廊中碰上了另一名僧侶，並詢問對方手抄本典籍變得如此破爛的原因。『噢！』他回答，『你知道，我們也得為了生活賺點錢，於是我們割下手抄本的空白邊緣，拿來寫字，再把它們做成宗教奉獻的小冊子，賣給女人和孩童。』」

作為此故事的後記，伯明罕的丁敏斯先生（Timmins）告訴我卡西諾山圖書館的藏書，目前享有比薄伽丘當時更完善的照顧，能幹的修道院長對寶貴的手抄本感到非常自豪，也願意展示它們。許多讀者們也許會想知道，該地現在還有了完整的印刷辦公室，兼有微影製程和活版印刷；辦公室位於修道院中的一處大房間，但丁[4]華美的手抄本已在此重新印製，其餘抄本也正在製作中。

4 譯注：Dante Alighieri，義大利文藝復興時期著名詩人，著有《神曲》。

第五章

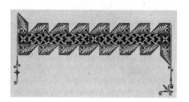

無知與傲慢

儘管和火與水的分類不同，無知也算得上是強大的毀書元素。在宗教改革的高潮期，人們對羅馬教會的古老偶像崇拜充滿敵意，並摧毀了上千本書；無論內容是世俗或宗教性內容，只要書中有鑲金文字，就會遭受催毀。不識字的大眾分不出騎士傳奇與《聖詠經》（psalter）的差異，或是亞瑟王與大衛王之間的不同；於是，充滿藝術裝飾的紙本書被麵包師拿來加熱烤箱，而擁有美麗鑲金字體的羊皮紙手抄本，則被拋給裝訂工與製靴匠。

以下的小故事彰顯出，另一種無知也經常導致毀滅；此佚事摘錄自斐拉瑞特．查斯里斯[1]於一八六二年寫給金博爾頓（Kimbolton）的畢旦先生（B. Beedham）的信：

「十年前，當我還是馬薩林圖書館（Mazarin Library）的圖

1 譯注：Philarete Chasles，十九世紀法國評論家。

書館員時，曾拿出了一只老櫃子，並在底部眾多破布與垃圾之下發現了一本書。它沒有書封或書名頁，過去也曾被圖書館員用來生火。這顯示法國大革命前，我國對文學瑰寶有多麼忽視；因為這本破爛不堪的書，在六十年前曾被擺在榮軍院[2]中，肯定也是原本馬薩林藏書之一；而它居然是本真正的卡克斯頓作品。」

一八八〇年四月，我在馬薩林圖書館中看到了這本書。這是一四八三年《黃金傳奇》（*Golden Legend*）的初版印刷本，但狀況當然十分不理想。

在世上上百萬件彼此交會的事件中，肯定會發生驚人的巧合；和馬薩林圖書館一事相似的事件，也約莫於同時發生在倫敦聖馬丁大道（St. Martin's-le-Grand）上的法國新教教堂（French

2 譯注：L'hôtel des Invalides，一六七〇年建立，原為接待及治療退伍軍人以及戰後殘疾人士的醫院，其後設置了法蘭西軍事博物館，為法國參觀人數第五多的歷史博物館。

一名清潔工撕下《坎特伯里故事集》書頁作為燃料。

Protestant Church）。多年前我在靠近該處祭衣儲藏室鐵窗旁的一個骯髒鴿子洞裡，發現一本遭嚴重毀損的卡克斯頓印刷本《坎特伯里故事集》（*Canterbury Tales*），上頭附有木刻版畫。就像巴黎的那本書，這本書被一頁頁撕下來作為儲衣室中的燃料，完全沒人清楚它的價值。它原本至少價值八百英鎊，當時只值一半；而我當然興高采烈地找來了負責看管這本書的牧師，還提及另一本由魯德與杭特（Rood and Hunte）在一四八〇年出版的豪華對開本。數年過去後，教堂委員會（Ecclesiastical Commissioners）接管了基金會，但在終於指派出保管人、而寶貴的藏書也被重新安置與編列時，這本「卡克斯頓」印刷本則與牛津出版社（Oxford Press）首版的《萊特布里》（*Latterbury*）一同消失。無論破壞行為本身展現出哪種程度的無知，把整本書搞丟則又是另外一個境界了。

以下的佚事如此貼切，儘管之前它已經在《古文物家雜誌》（*The Antiquary*）第一期出現過，我還是無法抗拒誘惑，重印了這故事，以警告老圖書館的繼承人們。這件事是我在數年前從佩勒姆（Pelham）的教區牧師紐馬許（Rev. C. F. Newmarsh）寄給坎特伯里大主教的圖書館員麥特蘭德牧師（Rev. S. R. Maitland），的信中所節印，內容如下：

「一八四四年六月，某位小販在布萊頓（Blyton）一處小屋前停下，詢問名叫奈洛（Naylor）的寡婦，是否有賣報紙。她回答：不！但答應給他一些舊紙，並從架上拿下《聖埃爾班斯之書》（*Boke of St. Albans*）和其他總重九英磅的書，由此收下了九便士。小販將這些書用線纏了起來，穿越庚斯博羅（Gainsborough），途經一位藥劑師的店。藥劑師經常買舊紙來包藥，於是他叫小販進門，並在被《聖埃爾班斯之書》吸引後，付了三先令給對方。由於看不懂書籍末頁的版本紀錄，他把書拿給和自己同樣無知的文具店老闆，對方願意出一堅尼買下這本書。他拒絕了這價錢，但認為應該把書擺在窗邊，以探聽出它的價值。因此書被擺了上去，上頭標示：『非常古老的特殊作品』。一名書本收藏家走進店內，出價一個半克郎，這使店長起了疑心。不久，庚思博羅的教區牧師波德（Bird）先生來到店裡詢價。他希望買下早期的印刷品，但並不清楚這本書的價值。當他檢查書本時，一位聰明的書商史塔克（Stark）走了進來，波德先生馬上請他評估。史塔克流露出明顯的焦慮，使得店長史密斯（Smith）拒絕設下價錢。很快地，來自利雅（Lea）的查爾斯・安德森爵士（Sir Charles Henry John Anderson）（《古代偶像》〔*Ancient Models*〕的作者）來此將書帶回去勘查，但在隔天早上就把書送回，因為書本中間部位並不完美，並願意付五英鎊買下它。查爾斯爵士沒有參考書能告訴他這本書的價值。但在此同時，史塔克雇了位朋友去打探店長拒絕的理由，並願意付出比查爾斯爵士再高一些的價格。發現它至少值五英鎊後，史密斯就去找藥劑師，並付給他兩堅尼，而史塔克的雇員則得到七堅尼。史塔克把書帶到倫敦，並將它以七十堅尼或英鎊的價格，賣給湯瑪斯・格林維爾牧師（Rt. Hon. Thos. Grenville）。」

「我得稍微描述一本如此古老、且缺乏封面的老書是如何被保存的。在那之後的五十年，在西克曼家族（Hickman）位於庚斯博羅教區的祖宅：梭諾克廳（Thonock Hall）中的圖書館進行了大型維修，書本由一名無知的人進行分類，他似乎完全依書皮區分。所有沒有封底的書都被丟成一堆，並經歷了詩人利藍德[3]對訪客在傳統圖書館造成的破壞感到哀嘆時，提及的一切災難。但這些書吸引了一名識字的園丁，他請求館方讓自己帶走喜歡的書。他挑選了大量在下議院前發表過的講道文、當地小冊子、一六八〇年到一七一〇年的文章、和歌劇文本等等。他寫下了一份清單，我之後也在小屋中找到這份單子。名單上的四十三號物件是『寇塔莫里斯』（Cotarmouris），也就是《聖埃爾班斯之書》。這位老人算是位藏書先驅，還用大衣包住書本。在他死後，所有能被塞到大箱子裡的書都被放入閣樓；但有幾本受到厚愛的書，

3 譯注：John Leland，十六世紀英國詩人與古董收藏家。

包括《聖埃爾班斯之書》，都留在廚房架子上好幾年，直到他兒子的寡婦受夠了清理書上的灰塵，並決心把這些書賣掉。如果她很窮的話，我該建議買家史塔克從自己的高額獲利中分一小部份給她。」

這種機會不會重演第二次；但愛德蒙．威迪特（Edmond Werdet）講述了一件非常相似的故事，故事中有名倫敦商人無意間得到了大禮。

一七七五年，安特衛普的重整會（Recollet）修道士們希望進行改革，並檢查了他們的圖書館，並打算丟掉約一千五百本書——有些是手抄本，有些則是印刷本，但全都被當作毫無價值的垃圾。

一開始，它們被丟進園丁的房間；但幾個月後，修道士們決定把所有垃圾送給園丁，作為給他長期服務的獎勵。

這名比其餘蠢漢睿智的男子，把這批書帶去給范德堡先生（Vanderberg），那是位業餘藏書家，也受過教育。范德堡先生粗略地瀏覽了一下，接著願意以一磅六便士的價格買下這些書。交易立刻談妥，范德堡先生則收下了書。

不久之後，一位待在安特衛普的知名倫敦書商史塔克先生，聯絡了范德堡先生，並見到了這批書。他立刻願意出價一萬四千法郎，對方也接受了。想想當窮困的修道士們聽到這件事時，該有多訝異又氣急敗壞！他們知道自己無計可施，也對自己的無知感到吃驚，使他們謙卑地請范德堡先生從這一大筆獲利中，分出一小部份以讓他們安心。他給了他們一千兩百法郎。

被艾德蒙斯先生（Edmonds）於一八六七年在蘭伯特廳

（Lamport Hall）找到的大量莎士比亞作品等等，都太過知名、年代也太近了，不需在此闡述。在此案例中，這些文稿受到保存似乎完全是肇因於運氣，也使所有莎士比亞愛好者感到精神為之一振。

一八七七年夏季，一名我熟識的紳士在布萊頓（Brighton）的普瑞斯頓街（Preston Street）上住了下來。他抵達後的隔天，就在廁所中找到一本有黑色字體書本的部分書頁。他詢問屋主是否能帶走這幾頁，並詢問了它們的來歷。他們又發現了兩三頁碎片，而房東太太說她熱愛古董的父親，曾一度擁有一只裝滿印有黑色字體書本的大箱子；當他過世時，那些書被保存下來，直到她對它們感到厭煩；在認定它們毫無價值後，她就把書本拿來當廢紙。兩年半來，這些書被用在不同的家庭用途上，不過她剛好把書都用完了。書頁碎片被保存在我家，它們來自卡克斯頓的傳人溫金．迪沃德（Wynkyn de Worde）。書名以特殊的木刻版畫製成，以奇特的黑色字體刻出《古羅馬人記事》的名稱。上頭也有許多粗糙的版畫刻痕。莎士比亞可能就是從這本書中，啟發他創作出《威尼斯商人》（*The Merchant of Venice*）中重要的三只箱子劇情。那家人的廁所裡居然充滿了這種文學瑰寶！

在大英博物館的藍斯東恩收藏（Lansdowne Collection）中，有本包含了三份伊莉莎白女王時代的劇本手抄本，在一張襯頁上有五十八齣劇的清單，頁腳則有知名骨董收藏家渥柏頓（Warburton）的筆跡：

「在我花了這麼多年收集劇本手抄本後，由於我自身的疏忽與僕人的無知，這些稿件要不是不幸被燒，就是被墊在熱派底部了。」

其中有些「劇本」的印刷本保留了下來，其餘不知名稿件則在被「墊在熱派底部」後永遠消失了。

已故的大英圖書館印刷書管理員W・B・萊依先生（W. B. Rye）曾寫道：

「提到無知，某天你該去大英博物館看立德蓋特[4]翻譯的薄伽丘作品《王子殞落》（*Fall of Princes*），該版本由平森[5]於一四九四年出版。這是本稀有書籍，外觀原本應該精緻又毫無刮痕。在一八七四年的某個晴朗夏日午後，某個住在蘭伯赫斯特

4 譯注：John Lydgate，十五世紀英格蘭修道士與詩人。

5 譯注：Richard Pynson，最早期的英格蘭印刷匠之一。

（Lamberhurst）的商人把它帶來給我。許多頁都被切成方塊型，整本書則是從一名菸草商店家中搶救回來的，在店裡他們將書頁拿來包裝菸草和鼻菸。店長想為老婆買一條新的絲製睡衣，因此很高興能藉此賺到三堅尼。你會注意到大英博物館的裝訂員巧妙地將書頁串連在一起，儘管狀態並不完美，但依然使它成為了一本合格的書。」

提到有些教區名冊管理員的魯莽行徑時，對此問題有諸多經驗的諾伯先生（Noble）寫道：

「幾個月前，我想在英格蘭一座大城（在此不提地名）中最有趣的名冊中，找尋查爾斯一世（Charles I）時代的紀錄。我寫信給名冊管理員，客氣地請他幫我搜索，如果他看不懂名字的話，就找某個能看懂當時字體的人，來幫我找出條目。我等了兩週都沒得到答覆；但有天早上，郵差送來了一本未註冊的大書，我發現這就是原版的教區名冊！不過，對方在上頭附了一張字條，內容聲稱他認為直接把書寄給我看比較好，也希望等我一完成工作，就把書寄回。他明顯想幫我——他對責任的無知肯定彰顯了他的溫順性格，因此我不願說出他的姓名；但我向你保證，當我收到他的信，內容告知我這些寶貴文件已再度被鎖回保管箱中時，我感到非常高興。當然，我認為他這種人正是『書之大敵』。你不覺得嗎？」

傲慢也造成了不少問題。在歐洲相當知名的阿姆斯特丹已故書商穆勒（Muller）先生，在過世前幾週曾寫信給我：

「當然，荷蘭也有許多書之大敵，如果我擁有像你一樣的精神與風格，就會試圖為你的作品寫本姊妹作。我想，現在我能做的，就是把自己的一些經驗告訴你。你說，印刷術的發明使毀書行為變得困難。我得說，西班牙宗教法庭透過燒毀異端書籍，成功消滅了眾多擁有無價內容的書本。我必須告訴你，荷蘭擁有一支名叫『老文稿』（Old Paper）的教皇至上派組織（Ultramontane Society），該組織受到荷蘭六名天主教的主教批准，也散播到整座王國境內。該組織的公開宗旨是收購並摧毀新教與解放派天主教的報紙、小冊子與書本，收益則以『聖彼得奉獻金』（Deniers de St. Pierre）的名義上呈給教宗。當然了，很少新教徒知道此組織的存在，可能還會否定它的真實性；但我幸運地取得其中一名主教發出的印刷通知單，其中包含目前為止收集到規模龐大的文件，單一區域在三個月內就產出一千兩百英鎊。我也不用多說，天主教教會強力支持這項工作。你不知道我們現在有多難取得不過才在三十、四十、或五十年前出版的書，它們彷彿稍縱即逝。歷史和神學書籍非常稀少；那個時代的小說和詩文也無跡可尋；醫學和法律書籍則比較容易找到。我得說，沒有國家比荷蘭印更多書、也摧毀更多書了。W・穆勒上。」

我承認，買下所有反動文學的政策，對我而言非常短視近利，而在大多數情況中，這會使再版量增加；在這些自由國度中更是如此。

羅馬教會與英格蘭教會並沒有太大的差別，布萊頓書商史密斯先生也交出了以下的佐證：

「也許你該注意，上兩個世紀的神職人員應該納入你的毀書者清單中。我透過以下提及的方式得到了痛苦的經驗。他們圖書館中的書本有幾頁遭移除，許多書還有不少章節被撕下。我想這樣使用偉人們的智慧，滿足了他們的目的，即透過撕下書頁以達到自身目的，他們也因此節省了時間。這種生意的的困難點如下：他們的書被買下時的狀態完美無缺，而當這些書再次販售出去後，一旦買家找到書本缺陷，也會迅速做出反應，而賣家也不會補償這點。」

政府官員也是尚存於世的魯莽毀書者其中一員。無論有無裝訂，能裝滿好幾台推車的有趣文件，都會因為被官僚認定為垃圾，而在不同時間點當作廢紙賣掉。[6]有些書被救了出來，並以高價重新售出，但有些書則永遠消失了。

一八五四年，專利局官員訂購了一系列非常特殊的藍皮書，資金自然來自國家經費。從一六一七年開始，如果有必要的話，原版說明和複本藍圖中各種重要專利的細節都會另外列印出來，以提供對文本的詳細闡述。每本書都有恰當的價格，都符合生產成本。大眾自然對這類文件毫無興趣，但對任何特定技藝的起源與過程有興趣的人則相對在乎，許多專利文件因此被研究人員買下。但大量庫存書本造成了一定程度的不便，所以在一八七九

6 其中包括尼爾．葛溫（Nell Gwyn）的管家教學書，內容涵蓋了查爾斯一世時代貴族家庭中的必要特點。幸好本書是倖存書籍之一，現在則位於私人圖書館中。

年，當存書得被移到別的辦公室時，如何處理這些書便成了問題。這些花費國庫數千英鎊的藍皮書，被當成廢紙賣到造紙廠；接近一百公噸重的書被運走，一噸則以三英鎊的價格售出。儘管這一切都屬實，卻很難相信即便在政府機構中，也會發生規模如此龐大的破壞行為。有些文件的確沒人需要，但在很多情況下——特別是早期蒸汽引擎和印刷機的製造細節——缺乏這類文件反而造成大問題。更糟的是，許多遭到紙漿化的細節文件都得一一再重印。

第六章

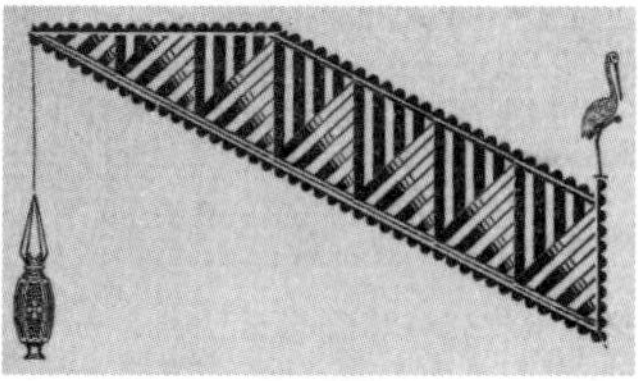

書蟲

「有種忙碌小蟲
會毀了最美的書，
在書上咬洞；
牠們鑽過每一頁，
但從未吸收書中瑰寶，
也毫不在乎。

牠們沒有味覺的牙齒撕裂並玷汙
詩人、愛國者、智者、和聖人，
不與對方鬥智或學習。
如果你明白原由
就讓我說出最佳的理由；

書本是害蟲的食糧。
他們嘲笑胡椒、鼻煙、菸草
與俄羅斯小牛。
但為何科學之子們
會害怕這些渺小的爬蟲？
是為了閱讀書，
並抵抗書蟲。」

——J·多雷斯頓（J. Doraston）

書蟲曾是最具毀滅性的書之大敵。我說「曾是」，因為幸好牠在所有文明國度中造成的破壞，在過去五十年裡大量銳減。有部分原因，是由於全球大眾對古董的敬意變強了（當然，貪婪的影響更大，這促使書主們照顧年年增值的書本），而且，從某些方面來說，也降低了可食用書本的生產量。

修道士是主要的製書者和書本管理人，儘管他們生活在我們因對其所知甚少，而將之稱為「黑暗」時代的漫長世紀，卻不害怕書蟲；因為儘管書蟲相當貪食，卻不愛羊皮紙，當時一般的紙尚未問世。我不知道牠是否在古代攻擊過埃及人的紙——也許牠曾經下手過，因為埃及紙完全以植物成分構成；這樣的話，現今對我們而言聲名狼藉的書蟲，便是在聖經中約瑟的法老年代時，騷擾神聖的昂[1]之祭司那些蟲子們的直系後代，當時的書蟲摧毀了祭司們的產權地契與科學書籍。

活版印刷問世前，手抄本是稀有又珍貴的物品，也受到妥善

1 譯注：On，希臘人稱為赫利奧波利斯的古城。

保存；但印刷術發明，使紙本書在世上大量產生後，狀況就變了。當圖書館的數目增加，讀者也變多，對文稿的親暱便轉為輕蔑。書本被堆疊在荒廢的角落，並乏人問津，而人們經常提起、卻鮮少看見的書蟲便成為則成為圖書館中的長期房客，也成為藏書人的死敵。

幾乎在歷代每種歐洲語言中，都有對這種害蟲的咒罵，古代的經典學者們也使用充滿抑揚頓挫的字眼侮蔑牠。皮耶．皮提（Pierre Petit）在一六八三年曾寫過一首責罵書蟲的拉丁文長詩，帕納爾[2]類似的頌歌也相當有名。這位詩人如此哀嘆：

「卡圖盧斯，你就像隻烏，
差點帶走了萊斯比亞。」[3]

2 譯注：Thomas Parnell，十七世紀愛爾蘭詩人。

3 譯注：卡圖盧斯為羅馬詩人，萊斯比亞則是他在作品中的偷情對象。

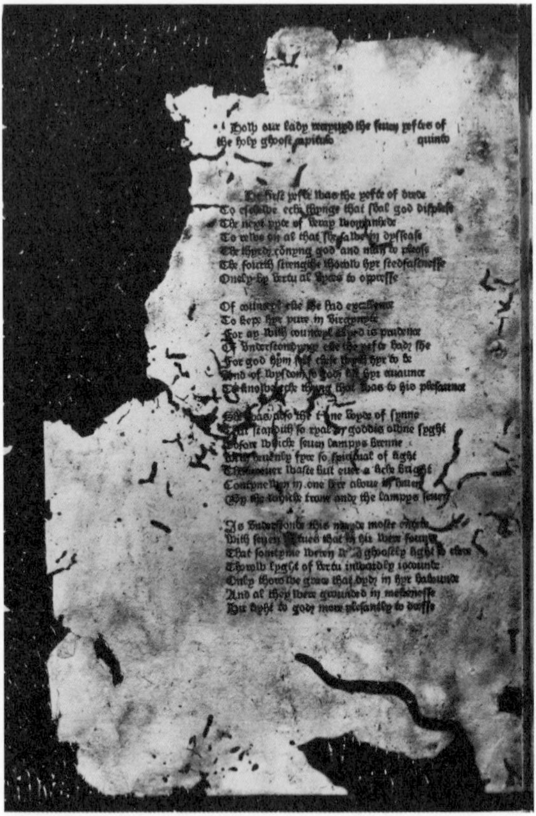

遭到書蟲破壞的卡克斯頓出版品書頁。

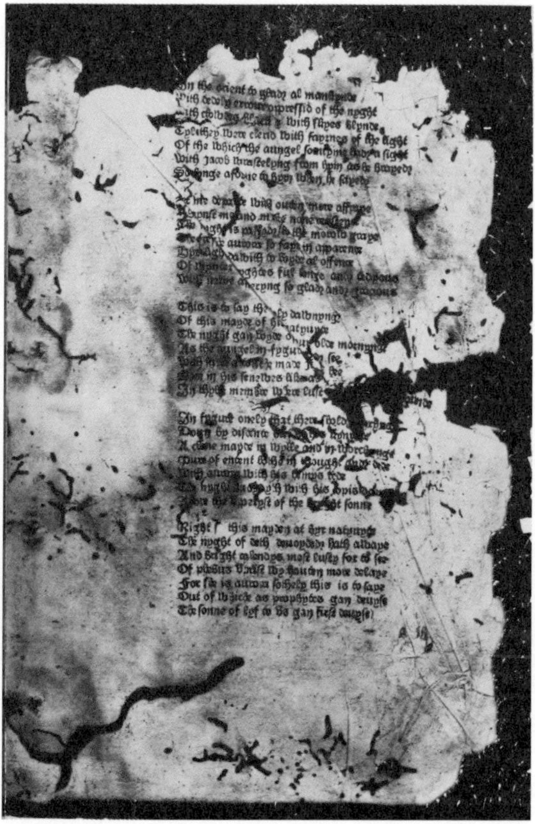

接著——

「我該如何形容大量知識，
你成為了它們的勞動之墓，
將之痛苦地吞沒？」

皮提則明顯對這「可憎畜生」懷有強烈憤慨，便稱他的小敵人為「大膽野獸」與「紙張害蟲」。

但就像傳記前常出現的肖像畫，好奇的讀者也許想知道這激怒學者們的「大膽野獸」長得是什麼模樣。首先有個變化萬千的問題：如果能夠採信目擊者的話，書蟲可就有各式各樣的尺寸與樣貌了。

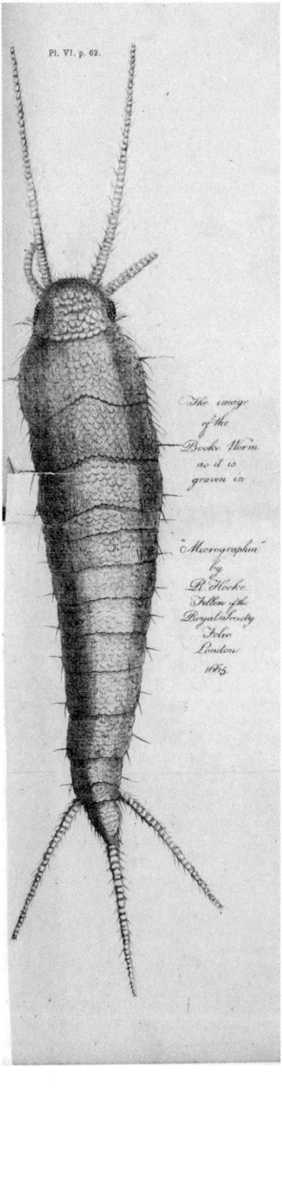
Pl. VI. p. 62.
The image
of the
Booke Worm
as it is
graven in
"Micrographia"
by
R. Hooke
Fellow of the
Royal Society
Folio
London
1665.

書蟲的放大照。

西爾維斯特[4]在《詩文規範》（*Laws of Verse*）中用大量平鋪直述的詞彙，形容書蟲為「在充滿知識的書頁上扭動的微小生物；一被發現，就會變得像一絲泥土般僵硬。」

最早的紀錄來自R．胡克（R. Hooke）於一六六五年在倫敦著作的書本《顯微圖誌》中（*Micrographia*）。這本由倫敦皇家學會（Royal Society of London）出版的書，收錄了作者在顯微鏡下檢視過的無數物體；作者在描述上的精準度相當有趣，同樣頻繁出現的錯誤更是逗趣。

關於書蟲，他漫長又充滿細節的敘述則錯得離譜。他稱書蟲為「銀白色的閃爍小蟲或飛蛾，我發現牠們大多出現在書本和紙張中，也會在書頁和封底上鑽出小洞。牠的頭又大又鈍，身體則往尾部逐漸變窄，越變越小，形狀就像條胡蘿蔔……牠前端有

4 譯注：James Joseph Sylvester，英國十九世紀數學家。

兩根長角，相當筆直，尖端也逐漸變窄，上頭長滿皺紋，看起來就像沼澤邊的馬尾草……身體後半部則有三根尾巴，外型與頭上的兩根長角一模一樣。腿上長滿鱗片和短毛。這種動物或許會食用紙張和書封，並在上頭鑽出許多小洞，牠們可能在以大麻和亞麻製成的紙張上攝取了營養；這些舊紙經歷了大量的烘烤、洗滌、包裝、和乾燥過程。當我想到這隻小生物（牠也是時間的利齒之一）吞下的木屑或碎屑，就不禁讚嘆起在賦予這種動物生命的大自然，牠受到吞入腹中的食物與肺中揚起的空氣所滋養。」伴隨這段敘述的「圖片」，看起來相當有趣。黃金學會成員R．胡克在此多少運用了自己的想像力，無論是繪畫或敘述都來自他的潛意識中。[5]

昆蟲學家甚至對「書蟲」的自然歷史沒有多大興趣。提到這

5 並非如此！有許多人寫信告訴我，胡克描述的其實是「蠹魚」（Lepisma）；牠沒有什麼傷害性，經常出現在老房子的溫暖角落，特別是有點濕氣的位置。他把蠹魚誤以為是書蟲了。

點，柯比[6]說：「Crambus pinguinalis的幼蟲會織出外衣，再用排泄物將它蓋住，此舉造成的損害可不小。」以及，「我經常觀察到一種小蛾的幼蟲，牠們居住在潮溼的舊書中，並造成極大的破壞，許多昔日曾被愛書人視為黃金般瑰寶的稀有印刷書，都進了這些破壞者的胃裡。」

在之前的引言中，多雷斯頓的敘述非常模糊。他有時形容該蟲為「忙碌的小蟲」，又稱牠是「渺小的爬蟲」。漢奈特（Hannett）在他關於書本裝訂的著作中，稱呼牠為「大虎蛾」（Aglossa pinguinalis），蓋蒂太太（Gatty）則在她的寓言故事中稱牠為「象鼻蟲」（Hypothenemus cruditus）。

多年前曾在赫里福德（Hereford）的天主教圖書館中因書蟲而吃了不少苦頭的黑佛葛神父（Rev. F. T. Havergal），形容牠

6 譯注：William Kirby，十八世紀英格蘭昆蟲學家。

們是某種死亡使者，擁有「深棕色的堅硬外皮」，另一種則有「白色身體，頭頂則有棕班」。在一八七〇年的《註記與疑問》（*Notes and Queries*）中，荷姆先生（Holme）說「家具甲蟲」（Anobium paniceum）對柏克哈特（Burckhardt）從開羅帶回的阿拉伯手抄本造成莫大損害；這批手抄本目前存放於劍橋大學圖書館。其餘作家說「Acarus eruditus」或「Anobium pertinax」才是正確的學名。

我自己只遇過幾個品種；不過，根據圖書館員告訴我的話、以及從類比結果中看來，我想以下的敘述才屬實：

有很多種會吃書的毛毛蟲或甲蟲幼蟲，有腿的是飛蛾的幼蟲；沒腿或只有退化的腿的，則是甲蟲的幼蟲。

沒人知道是否有幼蟲能只靠吃書就延續好幾個世代，但有好幾種鑽木蟲、以及食用植物性廢料的蟲子，都會攻擊紙，特別是在牠們被早期裝訂工習慣用來包裝書本的木板吸引時。由於這點，有些國家的圖書館員拒絕打開圖書館窗戶，不想讓敵人從附近的林子裡飛進來，並養出一窩蟲。的確，看過凹了洞的榛子或腐爛木頭的人，都會在這些害蟲所挖出的通道上看到類似的情景。

會吃紙的品種包括：

1.「竊蠹」（Anobium）：這種甲蟲有很多種類，包括：「A. pertinax」、「A.eruditus」、和「A. paniceum」。在幼蟲階段，牠們住在核果中；這期間牠們和其他種類的甲蟲幼體長得十分相似。牠們以乾燥的舊木頭為食，也經常會居住在書櫃和木架中。牠們吃下舊書上的木板，等到鑽入紙中時，牠們會挖出圓形的通道，除非牠斜著走，通道就會變成橢圓形。牠們會以此方式連續挖通好幾本書。知名藏書家佩尼奧（Peignot），曾發現二十七本書被一條蟲直線挖空；這是貪食上的奇蹟，但我自己對此抱持懷疑。過了一段期間後，幼蟲就會變成蛹，接著羽化為棕色小甲蟲。

2.「蛾」：這種幼蟲的大小與竊蠹幼蟲相當接近，但一長出腿後，就能分出差異。這是種毛毛蟲，胸部上長了六條腿，身軀上則有八支像吸盤的突起物，就像蠶一樣。牠會轉化為蛹，接著長為棕色小蛾。會攻擊書的品種是Oecophora pseudospretella。牠喜歡溫暖與潮溼的地方，也會吃下任何纖維物質。這種毛毛蟲不像花園中常見的品種，除了腿之外，牠的外表與大小都與甲蟲的幼蟲很像。牠大約半吋長，頭上有角，也長有強壯的下顎。牠似乎不討厭印刷油墨或書寫用油墨，不過我猜印刷油墨不利於牠的健康，除非牠很強壯，因為我在印刷品上看過的蟲洞長度太短，食物量不夠讓幼蟲順利長大。但儘管油墨令牠們感到不適，許多幼蟲還是活了下來，日日夜夜沉默地進食，根據自己的體力，在書中挖掘出或長或短的通道。

一八七九年十二月，北安普頓（Northampton）一位知名的書本裝訂工畢德薩先生（Birdsall），好心地寄了隻肥胖小蟲給我；那是他某位員工在裝訂書本時，在舊書中發現的。牠的旅程非常順利，當我打開包裹時，牠也還相當有精神。我把牠放在一只溫暖又安靜的盒子中，裡頭放了些卡克斯頓版本的波愛修斯[7]作品的紙張碎片，和一張來自十七世紀書本的紙頁。牠吃了一小片書頁，但可能是因為太多新鮮空氣、不習慣的自由空間、或是食物的改變，使牠逐漸變得虛弱，並在三週內死亡。失去牠讓我感到遺憾，因為我希望能在牠體態健康時，確認牠的品種。大英博物館的昆蟲學部門的瓦特豪斯先生（Waterhouse），好心地在死前檢驗過牠，並認為牠是Oecophora pseudospretella。

一八八五年七月，大英博物館的加奈特博士（Garnett）給了我兩隻蟲，是在來自雅典的希伯來文註解版聖經中找到的。牠們在旅途中肯定被搖晃了好幾下，當我打開時，有隻蟲已奄奄一息，幾天後就過世了。另一隻則相當健康，也和我同住了十八個

7 譯注：Boethius，六世紀羅馬哲學家。

月。我盡可能地照顧牠；將牠放在小盒子裡，還準備了三種不同的舊紙給牠吃，也很少打擾牠。牠明顯不喜歡被囚禁，吃得很少，動得很少，外觀也沒多大改變，即便在死亡時也沒變。這支滿腹希伯來知識的希臘蟲，在很多方面都與我見過的其他品種不同。牠的身體較長也較細，看起來比許多英格蘭同族纖細許多。牠的外觀透明，就像薄象牙，身上還有一條黑線，我認為那是腸道。牠極度懶散地過完一生，而牠的死也使積極等待牠最後型態的飼主感到「深深地婉惜」。

飼養這些蟲如此困難的原因，可能是來自牠們的身體結構。在自然狀態下，牠們能在洞穴中擴張並收縮身體，用牠們角狀的下顎推擠紙張。但一少了外界限制（這對牠們相當重要），即便周圍都是食物，牠們也無法進食，因為牠們缺少能讓身體保持穩固的腿，使牠們無法維持自然平衡。

儘管大英博物館收藏了大量舊書，館內的圖書館卻完全不受蟲害侵襲。最近的印刷書管理員萊依先生寫信告訴我：「我找到過兩三隻蟲，但牠們都很虛弱。我記得有一隻蟲被送到自然歷史部門，亞當·懷特先生（Adam White）說這是家具竊蠹（Anobium pertinax）。之後我就沒聽說牠的事了。」

沒機會造訪老圖書館的讀者，無法想像這些害蟲能搞出多可怕的災難。

我面前有本精緻的對開本，印刷在未漂白的良好紙張上，和牢固的彈匣一樣粗厚；它是門茲[8]的彼得·舍斐爾（Peter Schoeffer）於一四七七年所製作。不幸的是，被忽略一段期間後，它受到嚴重的蟲害。五十年前它得到了新封面，於是又再度

8 譯注：Mentz，德國城市美因茲的舊名。

遭到傷害，這次的兇手則是裝訂工。書封木板的原始狀態因此不得而知，但書頁上的毀損痕跡仍然歷歷在目。

書蟲攻擊了每個部分。第一頁上有兩百一十二個洞，大小從針孔般大到粗縫衣針般寬都有，大約是十六分之一到二十三分之一英吋之間。這些洞大約與封面呈直角，有幾個是沿著紙張邊緣延伸的通道，因此只影響了三四頁。這些小害蟲的影響如下：

第一頁上有兩百一十二個洞。
第十一頁上有五十七個洞。
第二十一頁上有四十八個洞。
第三十一頁上有三十一個洞。
第四十一頁上有十八個洞。

第五十一頁上有六個洞。
第六十一頁上有四個洞。
第七十一頁上有二個洞。
第八十一頁上有二個洞。
第八十七頁上有一個洞。
第九十頁上有〇個洞。

這九十頁十分厚實，整體有一英吋厚，全書共兩百五十頁，我們發現最後一頁有八十一個洞，是由某種食量沒那麼大的書蟲挖出的。因此：

倒數第一頁有八十一個洞。

倒數第十一頁有四十個洞。
倒數第六十六頁有一個洞。
倒數第六十九頁有〇個洞。

有趣的是，這些洞一開始出現得相當迅速，接著緩緩消失。你可以追著洞一頁頁查看，直到其中一頁上的洞突然變得比之前的尺寸小了一半；靠近檢查後會發現，下一頁紙張上原本應該有洞的位置，只會有一小處磨損。在上頭提到的書中，裡頭彷彿正進行著一場競賽。在頭十頁中，較弱的蟲被拋在後頭；接下來的十頁中，書裡還有四十八條蟲；等到三十頁時，剩下三十一條，到了四十頁後，就只剩下十八條蟲了。在第五十一頁上只剩下六條蟲，而在第六十一頁前，有兩條已經陣亡了。抵達第七十頁前，就只有兩條堅韌的貪吃鬼並駕齊驅地往前鑽；彼此都挖出了大洞，其中一個還呈橢圓形。在第七十一頁時，牠們依然平分秋色，到第八十一頁也一樣。到了第八十七頁，橢圓形的書蟲就放棄了，圓形書蟲則又咬穿了三頁，並穿過第四頁。剩下的書頁毫髮無傷，直到我們來到倒數第六十九頁，上頭有個蟲洞。接下來，洞口就不斷蔓延到末頁了。

我提起這件事的原因，是因為這本書就在我手邊，但許多蟲在這本書中，挖出了比其他書裡更長的通道；我發現有些還挖穿了好幾本厚書，包括書封。在舍斐爾的書中，這些洞可能是家具竊蠹的傑作，因為書的中心沒有蟲洞，只有兩端遭到攻擊。書封原本是用木板製成，這裡肯定也是攻擊開始的位置，書蟲透過木板鑽進紙頁中。

我對第一次拜訪波德連圖書館（Bodleian Library）的記憶相當深刻，當時是一八五八年，圖書館員是班迪奈博士（Bandinel）。他非常好心，也讓我使用各種設備來檢驗卡克斯頓藏書，該藏書就是我旅程中的目標。在觀看一包被放在抽屜裡很久的印刷黑字書頁碎片時，我發現了一隻小甲蟲幼蟲；我想也不想地立刻把牠丟到地上，一腳踩扁。不久，我又找到了另一隻肥胖又閃著光澤的蟲，這次則將牠小心地放入一只小紙盒中，打算觀察牠的習性與成長。當班迪奈博士走近時，我便請他看看我的發現。不過，當我一把扭動著的小蟲放在皮革桌面上時，博士的拇指便壓了下來，頓時讓我的希望化為一吋長的污漬；偉大的藏書家則用外套袖管擦了擦拇指，接著說：「噢對！牠們有時有黑色的頭。」這是新知——是昆蟲學家知道的事；因為我的小客人有堅硬的閃亮小白頭，我也從沒聽過長有黑頭的書蟲。也許波德連圖書館中的大量黑色字體書本造就了這品種。總之，牠是種甲蟲。

我因為將食用紙張的蟲關在紙盒裡這種愚蠢行為，而遭到不少無情的譏笑。噢，這些評論家！你們的書蟲是害羞又慵懶的動物，遭驅趕後也得花一兩天才會恢復食慾。再說，牠也夠有節操，不會碰囚禁自己的劣質紙張。

在卡克斯頓版本《聖母的一生》（Lyf of oure ladye）中，之前提過裡頭不只有許多小洞，頁面底部還有非常大的通道。這是非常不尋常的範例，也可能是「白腹皮蠹」（Dermestes vulpinus）的幼蟲；那是一種食欲旺盛的花園甲蟲，會吞吃所有木質廢料。

之前已經提過，當代可食用的書變得越來越稀少。書蟲不願食用普遍摻有雜質的現代紙張。牠的直覺禁止自己吃下黏土、漂白水、巴黎製石膏、重晶石中的硫酸鹽、以及現代經常和纖維混在一起的雜質；而目前為止，古老文本充滿智慧的書頁，正身負重傷地跟現代垃圾一同與時間競賽。多虧當代社會對舊書的興趣，書蟲過起了苦日子，也缺乏了使牠賴以維生的寧靜受忽視的狀態。更重要的是，有些充滿耐心的昆蟲學家應該趁還有機會時，如同研究螞蟻的約翰．盧博克爵士（Sir John Lubbock）般，好好研究這些生物的習性。

我面前放了幾張書頁，這些廢紙被我們勤儉的首位印刷商卡克斯頓黏在一起，用來做封面書板。無論是老膠水有吸引力，還是其他理由，當書蟲進入書中時，牠並不如以往直接鑽入書本中央，反而縱向移動，沿著書頁挖出龐大的通道，也從未鑽出裝訂處；這幾頁被鑽得如此徹底，很難不在掀起它們時，讓它們裂成碎片。

這已經夠糟了，但我們得感謝國內的溫和氣候，使我們不會碰上炎熱國度中的敵人；該處的整座圖書館、書本、書架、和桌椅，都可能在一夜之間被無數螞蟻摧毀。

我們諸事平順的美國遠親們，在這個議題上也很幸運——他們的書本並沒有遭到「書蟲」攻擊——總之，美國作家是這樣聲稱的。的確，他們的黑字印刷本都來自歐洲，而耗費了大量資金後，這些書也受到妥善保存；但他們擁有上千本十七到十八世紀羅馬規格的書籍，在美國以品質完善的紙張印刷而成；如果紙質優秀，書蟲也不會偏食，至少在這國家是如此。

因此，他們老圖書館中的館員可能會講述截然不同的故事；

更有趣的是，林瓦特在費城編輯並印刷的精彩作品《印刷百科》（*Encyclopaedia of Printing*）[9]中提到，書蟲不只對當地人而言相當陌生（我們之中大多人都不熟識牠），牠所造成的輕微破壞還會被視為稀奇事物。引述迪布丁的話，再添加幾筆個人想像後，林瓦特聲稱，這種「食紙飛蛾應該是透過來自荷蘭的裝訂用豬皮，從而引進英格蘭的。」接著他做出結論，此言論對任何看過上百本遭到蟲害的書的人而言，聽起來肯定相當天真。「目前，」他說，明顯覺得這是稀奇的大事，「在費城一處私人圖書館中，有本被這種昆蟲鑽過孔的書。」噢！幸運的費城人！他們擁有美國境內最古老的圖書館，但如果他們想在城裡看到一小個蟲洞，卻得請求一名私人收藏家才行！

9《美國印刷百科》（American Encyclopaedia of Printing）：路瑟・林瓦特（Luther Ringwalt）著。八開本。費城，一八七一年。

第七章

其他害蟲

除了書蟲外，我想不到有其他值得一提的昆蟲類書敵。住家中大家稱為蟑螂的黑色甲蟲，來到我國的時間太過近代，無法造成太大損害，不過牠有時會嚙咬書本裝訂處，特別是書本放在地板上時。

不過，我們的美國遠親就沒這麼幸運了，因為在一八七九年九月的《圖書館日誌》（*Library Journal*）中，威斯頓．弗林特先生（Weston Flint）敘述了一隻在紐約圖書館中造成莫大破壞的可怕小害蟲。這是種叫做蟑螂的黑色小甲蟲，科學家稱牠為「德國姬蠊」（Blatta germanica）或「茶婆蟲」（Croton bug）。我們家中常見的蟑螂居住在廚房裡，喜歡躲躲藏藏與夜晚的黑暗時刻，但這種生錯地點的扁平品種（牠的體型比英格蘭品種小了一半），反而更加肆無忌憚，不但不怕光與噪音，也不畏懼人和動物。在一五五一年的古老英語聖經中，我們能在詩篇91：5中讀到：「汝不須畏懼夜晚的蟲。」西方圖書館員對這句詩文充耳不聞，因為他日夜都害怕蟲子；蟲子在光天化日下爬到所有東西上頭，爬滿了書架裡每個被牠們當作家的角落。有種叫做殺蟲劑的藥粉能夠對付牠們，不過那對書和書架都有害。但是，這種藥對那些害蟲非常致命；當有蟲子顯露病態時，就會立刻被貪吃的同族當成新鮮糕點吞食，這點多少讓人感到安慰。

我還常看到一種銀色小蟲（蠹魚），出現在被忽略的書本後頭，但牠造成的損壞微不足道。

我們也不認為鱈魚對文本會造成危害，除非牠聽從羅馬的命令，就像那條知名的書魚（Ichthiobibliophage）（抱歉，歐文教授），牠在一六二六年吞下了三本由新教烈士約翰·福里斯

（John Frith）撰寫的清教徒論述。吃完這頓大餐後，牠很快就被抓到，並在文學史上留名千秋。以下是在該事件發生時所出版的某本小書標題：《身懷三份論述的書魚：於一六二六年仲夏夜在劍橋市場的一條鱈魚腹中被發現》（*Vox Piscis, or the Book-Fish containing Three Treatises, which were found in the belly of a Cod-Fish in Cambridge Market on Midsummer Eve, AD 1626*）隆迪斯（Lowndes）說（參閱「崔西」（Tracey）條目）：「劍橋對這本書的出版大為光火。」

不過，老鼠經常造成顯著的破壞，以下故事便是明證。兩世紀前，西敏寺座堂主任與牧師會（Dean and Chapter of Westminster）的圖書館位於大會堂（Chapter House）中；當屋內需要維修時，裡頭就立起了鷹架，書本則留在架上。牆上一處作為鷹架插孔的洞，被一對老鼠當作巢穴。在往下爬到圖書館的書架上，並咬走不同書本中的書頁後，牠們築起了一個用於養育幼鼠的窩。小鼠窩相當舒適，直到有一天，建築工人完工後，便將鷹架撤除，對老鼠們來說，不妙之處在於——洞穴被磚塊與水泥填了起來。遭活埋的父母與五到六隻幼鼠迅速死亡，一直到幾年前，大會堂進行整修時，再度挖開老鼠洞供鷹架桿子使用，這才發現牠們的骷髏與鼠窩。牠們的骨頭與作為鼠窩的紙張碎片，現在存放在大會堂的一只玻璃匣中，有些紙屑還是卡克斯頓印刷的書本。這是特例，不過修道院圖書館中目前已經沒有早期的黑色字體印刷書了，包括一五六八年伊莉莎白女王知名的祝禱書的碎片，上頭還附有木刻版畫。

有個朋友寫信告訴我以下事件：「數年來，有些老鼠在我家附近的樹林裡築巢；牠們從該處跳到某處平坦的屋頂，並鑽下煙囪，跑進我收藏書的房間中。牠們徹底摧毀了部分有羊皮紙書背的書，還有六本以完全以羊皮紙裝訂的書。」

另一個朋友告訴我，德文郡與埃克賽特學院（Devon and Exeter Institution）的自然歷史博物館有「另一種小害蟲，牠特別偏好以牛皮和馬皮做的書本裝訂。牠的學名是Niptus Hololeucos[1]。」他補充道：「你知道有種和這些昆蟲都有關聯的可怕生物，叫做Tomicus Typographus[2]，曾在十七世紀的德國造成可怕的破壞，該國的禮拜儀式中甚至正式授予牠一個粗俗名稱：『土耳其佬』（參見柯比與史賓斯，第七版，一八五八年，第一百二十三頁）。這點非常特異，我也沒聽說過，不過我知道又名『切割蟲』的Tomicus Typographus是良好書籍的死敵，但

1 譯注：金蜘蛛甲蟲。
2 譯注：為一類蠹蟲。

是，我無法談論這話題。」

以下故事來自坎特伯里的W．J．維斯特布魯克（W. J. Westbrook），內容展露出我個人並不熟悉的破壞行為：

親愛的布雷德斯，

我寄了一個敵人的樣本給你——那是一隻普通家蠅。牠躲在紙張後頭，流出一些腐蝕性液體，接著就離開了俗世。我經常在這種洞中找到牠們。一八八三年十二月三十日。」損傷是個橢圓形的洞，周圍還有一圈白色纖毛（真菌?），在木刻版畫上十分難辨別。而這裡提到的尺寸相當準確。

第八章

裝訂工

在第一章，我曾提過裝訂工在書之大敵中的地位，一想到某個憤怒的裝訂工可能會打算扭轉局勢，讓印刷業者背負同樣的惡名，就讓我感到心頭一震。關於印刷業者的罪過，以及經常減短印刷產品壽命的粗心行為，我就不多提了。俗話說：「家醜不可外揚。」本章節就此展開，不過可能還是會提及許多現代範例。我言盡於此，現在開始只提及因為裝訂工的無知或粗心，而對書本造成的損壞。

就像人一樣，書本也有靈魂與身體。我們先不提靈魂或文學價值；身體，也就是外框或封背，少了它，書本的內容就毫無用武之地，而這也正是裝訂工的特殊責任。基本上，他會產出書本；他決定了書本的外型與裝飾，診療它的症狀與腐朽狀況，並頻繁地在它死亡後進行解剖。在這裡，就和在大自然中一樣，我們會發現善惡彼此共存。能拿起一本裝訂良好的書真棒；書頁被平整地翻開，彷彿正誘使你繼續翻閱，你也在毫不害怕書封剝落的情況下自由翻閱。觀看書本上的工藝也令人十分愉悅，因為處處可見細心與高超技藝的成果。一翻開書封，就能在裡頭發現和外頭相同的精緻細節，充滿了工匠巧奪天工的技術。的確，由於好的裝訂具有保護性，許多無用的書反而相當長壽，原因就來自外層防護；其餘諸多瑰寶則因為外殼的醜陋與裝訂中無法修補的損害，而落入提前毀損的下場。

裝訂工能對書本造成最大傷害的武器，就是「犁書」（plough）：裁去邊緣，將印刷頁放在接近頭尾的錯誤位置，此舉經常毀壞內文。尺寸上的縮減經常使美觀的對開本變為四開本，或是使四開本成為八開本。

用傳統技術犁書的裝訂工，需要比使用新切割機時更細心與謹慎，才能製造出平穩的書本邊緣。如果某個粗心的工人發現自己把邊緣切得接近文字，就會把書頁放進印刷機中，並「再刮一次」，有時還會割第三次。

但丁在《神曲地獄篇》（*Inferno*）中，讓各種迷失的靈魂根據生前的罪過，承受型態各異的懲罰。我看過許多珍貴典籍，這些被交到裝訂工手上的全新書頁，在遭受野蠻對待後，便失去了尊嚴、美麗、與價值；如果我能懲處元凶裝訂工，便會收集所有被魯莽撕下的紙屑，並用它們當燃料，慢火燒烤這些罪犯。在古代，當人們還沒學會尊重印刷品時，裝訂工的粗心行為還算情有可原；但在現代，當舊書的歷史性與骨董性價值受到大眾認可時，就不該原諒這些粗心的混蛋。

由於資訊的廣泛流傳，一般人可能會認為無知所帶來的危險已經絕跡了。並非如此，親愛的讀者；那是尚未成功的完美結果。讓我告訴你一件真實的圖書軼事：在一八七七年，某位繼承了大量古老藏書的公爵，答應將最有價值的部分藏書（其中有好幾本卡克斯頓印刷本）送到南肯辛頓（South Kensington）展覽。他認為這些書的外表太破爛了，於是在不清楚自身行為危險性的狀況下，便決定在附近的鎮上將它們重新裝訂。這些書很快就以煥然一新的狀態送回來，據說公爵也相當高興；不過他的興致並沒有持續太久，有名朋友向他指出，儘管褪色的頁面已盡數移除，上頭留有十五世紀簽名的空白處，也被乾淨的紙頁替代，但看看最低階的影響（也就是市價），這些書至少損失了五百英鎊的價值；更糟的是，等到它們一被展出，肯定會引來不少負評。那些可憐的書從未真正送到該去的地方。

幾年前，其中一本由梅赫倫[1]印刷的稀有書籍（一本輕薄的對開本），有一名鄉間裝訂工用羊皮包裹它，還將它切割成四開本大小。但別以為鄉間裝訂工是唯一的麻煩人物。不久前在倫敦其中一間大型圖書館中，才發現了一本獨特的卡克斯頓印刷本，它的書背由木板製成，那是十五世紀裝訂工原先的設計，而這本寶藏也引起了軒然大波（理應如此）。看到這裡的讀者會大喊：這些書當然會用原本的書封包覆，裡頭所有的古代有趣細節都完好無缺吧？這是不可能的！與其製作恰當的書封，使書本受到完善保護，它反而被送到一位知名倫敦裝訂工手中，對方還要求他：「將整本書以絲絨裝訂。」他盡力了，這本書目前也在鑲金的邊角與不合宜的外殼中發出富麗堂皇的光芒，可惜的是，它原

1 譯注：William de Machlinia，十五世紀英格蘭印刷業者。

本完好的書緣被砍去了半英寸。我怎麼知道？因為當這位聰明的裝訂工發現書頁邊緣上的一些手抄本註記後，便將書頁翻開，以避免將它們裁掉；而嚴格的目擊證人，也能對充滿觀察力的讀者們證明該書原本尺寸為何。在另一次事件中，這名裝訂工則將一份獨特的十五世紀贖罪券泡入溫水中，此舉是為了將它從原本黏著的封面上分開；結果，當贖罪券風乾時，它扭曲變形的程度已經無藥可救了。那人很快就離開人世，但希望他的作品別跟他一同歸西，也希望他身為善良老實人的美德，能弭平他作為裝訂工犯下的罪過。

許多讀者都能想起其他類似事件，特定裝訂工肯定三不五時就會犯下同樣的過失；他們似乎對粗糙書緣與寬大書緣懷有根深蒂固的憎惡感。從他們的觀點看來，這些部分都是大自然創造出來讓人刮除的。

迪羅馬（De Rome）是十八世紀知名的裝訂工，迪布丁稱他為「偉大的剪裁者」；儘管他私底下是個值得尊敬的人，依然因為將所有被送到自己手上的書本邊際裁掉，而犯下滔天大罪。最誇張的是，他甚至沒有饒過《大事記》[2]的牛皮紙本書，書中還保有知名愛書人德圖[3]的簽名，不過該簽名已被殘忍地裁切掉了。

書本所有人對書籍邊際也經常有病態的想法。某位朋友寫道：「你有趣的故事讓我想起自己認識的幾名毀書人。有個人會用刀粗魯地切掉書邊，動作暴力地像在蓋圍籬或挖壕溝。他特別喜歡大型紙本書，因為裡頭的紙頁數量多。由此收集來的細紙條居然全數用來製作索引！另一個人則完全顛倒了正常順序，把所有對開本與四開本都裝訂縮減成同一個尺寸，讓它們在書架上看

2 譯注：*Froissart's Chronicles*，十四世紀法國作家尚・傅華薩（Jean Froissart）所著的英法百年戰爭史。

3 譯注：Jacques Auguste de Thou，十六世紀法國歷史學家。

起來變得整齊些。」

後者肯定是故意把書邊裁切到只剩下內文的人的遠親，想必他已多次對在書邊上留下註記的讀者感到無比惱怒。

有些遭到胡亂命題的書也相當倒楣！想想一本關於騎士生涯的十五世紀黑體印刷四開本，上頭卻標上了「短文」；或是標上了「佈道」的維吉爾[4]詩集譯本！卡克斯頓版的《特洛伊歷史》（*Histories of Troy*）背面還附有「海克力士」的書名，因為那名字在開頭篇章中出現過好幾次，而裝訂工也驕傲得不想尋求建議。當裝訂工不知如何命題時，有時候會使用「雜項」或「老書」作為書名，這點還有其他範例可循。

印刷術在十五世紀後期的歐洲迅速傳播，導致缺少泥金裝飾的手抄本大量減少，此趨勢的後果則是諸多以羊皮紙寫成的書籍

4 譯注：Virgil，古羅馬詩人。

遭到摧毀，被裝訂工用來強化新印製的競品書籍。這些由牛皮紙或羊皮紙製成的紙條常見於舊書中。有時整張紙都用來做空白頁面，也經常會顯露出過去沒人發現的寶貴作品——同時也證明了這些書籍過去的價值。

許多藏書家在檢查舊書時，經常會困惑地發現許多短羊皮紙片，幾乎總是來自某種古老手抄本，在書頁之間像護具般突出。剛開始，這種跡象看似是書本的瑕疵或損傷；但仔細檢查後，會發現這些紙片總是在紙頁中央出現，而它們存在的真正原因，就和紙本書中出現兩頁羊皮紙時一樣，是因為力量——用於抵擋紙頁中央強韌線材的拉扯力。這些夾層代表了被毀的舊書，而就像受到關注的夾層，它們也該受到仔細研究。

當寶貴的書本受到不良待遇，像是被髒手碰觸、沾上水漬、或是被油漬噴濺時，沒什麼比這些書本在老練維修師手中經歷的轉變，還更令對此毫無經驗的人感到驚訝。書封會先被小心地切開，維修人員的雙眼則仔細觀察，是否有原先修訂工使用的任何古老手抄本或早期書本的碎片。不應該對黏在一起的頁面施力；溫水和細心能解決這問題。當書本各結構都鬆開時，會將分離的書頁一頁一頁地泡在冷水中，泡到上頭的髒污全數洗淨。如果清理不完全，可根據污漬來自油汙或墨水，在水中加入些許鹽酸、草酸、或氫氧化鉀。沒經驗的裝訂工會用以下方式毀損書籍。如果化學藥劑太強、紙張泡在水裡太久、或是沒在調整尺寸前先清掉上頭的漂白水，部分腐朽要素便會滲入紙中；儘管書頁有一陣子看起來會相當白亮，甚至還會像優良紙張般發出清脆響聲，過了幾年後，敵人終將出現：纖維將會腐爛，整本書也會化為白色粉塵。

所有降低書本價值的事物，都對保存書本不利，因此也都是書本的敵人。因此，在老舊裝訂壞掉時，我有以下建議。

我記得，數年前曾在某處鄉間書攤買過一本狀態完美的莫克森[5]著作《機械操作》（*Mechanic Exercises*），現在它已經是本稀有書籍。書冊未受切割，也保有原本的大理石花紋書封。它們的古老書皮看起來相當有吸引力，我也立刻決定要保存這種封面。我的裝訂工很快就為它們打造了一只書型的精緻木盒，上頭的摩洛哥背板也寫了合宜的命題文字，我相信原版書都能在裡頭不受灰塵與外力損害長達數年。

無論老封面是由木板或紙製成，都該保持原狀。書盒則能大舉裝飾，擺在架上時也很不錯！保護性也比裝訂強。它也有這項

5 譯注：Joseph Moxon，十七世紀英國印刷匠。

優點：它不會剝奪你後代的機會，讓他們能夠親眼見證四世紀前的購書者剛買下書時書本的外觀。

第九章

收藏家

不過，理應有點常識的人類破壞者們，在圖書館中造成的真正損壞，也許和其他書之大敵一樣多。我說的並非小偷，即使他們造成了書本所有人的損失，卻不會因為把書移轉到別人的架上，而使書本受傷；也不是去公共圖書館的特定讀者，這些人為了節省抄寫時間，便從雜誌或百科全書上割下整篇文章。這種破壞行為並不常見，也只發生在能被輕易取代的書身上，在此就不再贅述；但當大自然創造出像約翰・貝格福（John Bagford）這種邪惡毀書人時，問題就很嚴重了。他是古董學會（Society of Antiquaries）的創始人之一，在上個世紀初期，他走訪了國內各大圖書館，從尺寸不一的稀有書本上撕下書名頁。他將這些書頁以國籍和城鎮分類，因此，他收集了許多傳單、手抄本註記、與各種不同的紙張，組成超過一百份對開本書卷，目前則存放在大英博物館中。不可否認它們成了建構印刷術歷史的資料，但卻使許多稀有書本遭到毀滅，也抹煞了書籍專家們的機會，使他們無法從這些書中獲益。在這些書中，到處都能發現從沒聽過的書名，或是極度稀有的書本碎片；當你找到書本後方的版權頁，或是某本稀有的十五世紀書籍第一頁上的印刷匠署名時，它們會和諸多類似的紙片貼在一起，每張紙片的價格不一；為此，你無法對約翰·貝格福這名古董收藏家與鞋匠留下的回憶獻上祝福。他的半身像由霍華繪製，維圖（Vertue）則製作了雕版畫，之後又因為《圖書十日談》（*Bibliographical Decameron*）而重新雕版。

壞榜樣經常都會有人模仿，而每一季都會有一兩套這類藏書被擺上公開拍賣會。這些拍賣由愛書人士舉辦，但儘管他們自稱

約翰・貝格福（1650-1716）
英國古董收藏家、作家、藏書家、民謠收藏家與書商。

愛書，實際上卻是最糟的書之大敵。

以下摘自一八八〇年四月十八日的某件貿易型錄，內容能讓讀者了解這些沒良心的破壞者做出的離譜行為：

彌撒經本

寫在牛皮紙上的五十個不同大寫文字；字體以濃密的金色與其他顏色構成。許多文字面積為三平方英吋；附有美麗的花朵裝飾，製於十二至十五世紀。裝設在堅硬的紙板上。保存狀態完整，價值六英鎊六先令。

這些美麗文字都來自寶貴的手抄本，由於早期藝術樣本極為珍貴，這些藝術品一件就值十五先令。

普羅姆先生（Proeme）在倫敦的舊書商之間十分有名。他十分富有，也不在乎自己的愛書癖好會花上多少錢，而他收集的正是書名頁。他魯莽地將這些書頁撕下，並經常留下解體的書本遺骸，因為他不在乎剩下的部分。與毀滅者貝格福不同，普羅姆眼中沒有有用的物品，只憑藉某種毫無邏輯的分類感進行破壞。比方說：有一本書，只留下了鑲銅雕版書名頁，且如果十七世紀的古老荷蘭對開本進入他視線範圍，那就成了一場災難。另一本書則充滿粗俗或怪異的書名，這自然凸顯出部分作者有多麼愚蠢又自負。在此書中，你能發現席布博士（Dr. Sib）於一六五〇年所著的《不同佈道時的開腸剖肚》（*Bowels opened in*

Divers Sermons），旁邊緊貼著被誤以為是喀爾文主義者杭庭頓（Huntington）所寫的論述文《去死吧》（*Die and be damned*），與其他太過粗鄙的標題，在此不做多提。水詩人泰勒[1]為其詩詞冠上的奇怪標題蔓延了好幾頁，也讓人想親自讀讀這些書。第三本書只包含印刷業者的設備名稱。如果你對收藏家造成的傷害視而不見，也許在某種程度上，會喜歡這些藏書，因為其中有些書相當美麗；但這種追求毫無用處，也缺乏品德。不過一切總會走到盡頭，分散隨著收藏而來；原本可能價值兩百英鎊的書，則會被商人以十鎊賣出，最後則在南肯辛頓圖書館落腳，或是在某家公立博物館被當作奇異圖書展示。蘇富比、威金森與霍吉公司[2]將以下書籍於一八八〇年七月賣給鄧恩—蓋登納博物館（Dunn-Gardinier collection），陳列在一五九二年區：

1 譯注：John Taylor，十六世紀英格蘭詩人，自稱「水詩人」。

2 譯注：蘇富比拍賣公司的舊名，為世上最大的藝術拍賣商。

書名頁與卷頭插畫

此收藏包含八百份雕版書銘與卷頭插畫，以英文與外國語言寫成（有些字體纖細又特別），作品材料來自舊書，並整齊地貼在繪圖紙上，製成三卷書，一半以精緻皮革製成。泥金裝飾對開本。

唯一讓我感到快樂的書名頁收藏，是本精美的對開本，由安特衛普（Antwerp）的普朗坦博物館（Plantin Museum）於一八七七年出版，當時館方剛買下那座美好的印刷倉庫。書名叫《書名頁與肖像：致普朗坦印刷廠的P．P．魯本斯》（*Titels en Portretten gesneden naar P. P. Rubens voor de Plantijnsche*

Drukkerij），內容包含三十五張豪華的書名頁，都是從十七世紀的原版版畫翻印而來，由魯本斯本人在一六一二年至一六四〇年間設計，並放置在由知名的普朗坦印刷廠製作的不同出版品上。博物館中還保存了魯本斯本人親筆寫下的每項設計收據。

本世紀初，興起了一股相似於收集裝飾性字母藝術品的狂熱；從手抄本中取出字母，並按照字母順序排列在空白書頁上。我國有些大教堂圖書館深受這種破壞行為所苦。在本世紀初期的林肯座堂（Lincoln Cathedral）中，侍童們在圖書館內穿上長袍，館內有座靠近唱詩班的房間。諸多古老手抄本都存放在此，其中還有八或十本稀有的卡克斯頓印刷本。唱詩班男童在等待進場訊號時，經常用筆刀割下裝飾性字母和插圖，用來娛樂自己；他們會把紙片帶進唱詩班，並輪流傳閱。當代的座堂主任與牧師會也好不了多少，因為他們讓迪布丁博士拿走了所有的卡克斯頓印刷本做「研究」。他為這些書做了一個小分類，名叫「林肯花束」。最後這些書被轉進艾爾索普（Althorp）的藏書中。

已故的凱斯帕里先生（Caspari）是名書本破壞者。他收集的稀有早期木刻版畫曾在一八七七年的卡克斯頓慶典上展覽。他經常購買附有插圖的書本，並將其中的版畫取出，貼在西卡紙上，用於增加他的收藏。他曾給我看過一本《休爾丹克》（*Theurdanck*）的殘骸，我面前現在也擺了好幾片他當時給我的書頁；它們高超的雕版與印刷工法，超越了我看過的任何出版品。這是紐倫堡的漢斯．休斯佩格（Hans Schonsperger）為馬克西米利安大帝[3]印製的，而且為了使它變得獨一無二，上頭刻有故意留下的孔洞，每個字母也有七到八種不同型態，加上裝飾性

3 譯注：Emperor Maximilian，十五世紀神聖羅馬帝國皇帝。

花紋精巧地點綴在每行字上下；這些特色甚至讓經驗老到的印刷匠，也誤以為這並非印刷品。不過，這完全是以印刷術製成。狀態良好的印刷本要價五十英鎊。

多年來，我跟蘇富比公司購買了大量牛皮紙手抄本；有些是整本書，但大多品項只是單一書頁。許多書本都因為字母被割下而變得毫無價值，但擁有簡陋字體或毫無文字的書，狀況則相當不錯。分類後，我發現有二十本不同的手抄本（大多是時禱書[4]），內容包含十二種不同的十五世紀手寫筆跡，語文包括拉丁文、法文、荷蘭文、和德文。我把每種類型都分開裝訂，現在它們則成為一組有趣的收藏。

肖像畫收藏家也透過將卷頭插畫取下，作為自己的收藏，而摧毀了許多書。當一本書遭到損壞時，就會迅速進入解體狀態。

4 譯注：Horas／Book of Hours，中世紀基督徒祈禱時，除了聖經外，另外準備的一種內含教義、禱告文等文本的書，內容文字通常為拉丁文，根據使用人身分不同，甚至也含有日曆、家族編年史等內容。

這就是為何像亞特金斯[5]在一六四四年所著的《印刷術的起源與成長》(*Origin and Growth of Printing*)四開本目前已完全無法取得。

剛發行時，亞特金斯的書有幅由羅根（Logan）繪製的精緻卷頭插畫，書中含有查理二世國王（Charles II）的肖像，隨侍在旁的還有薛爾頓大主教（Archbishop Sheldon）、雅伯馬勒公爵（Duke of Albermarle）、與克拉倫登伯爵（Earl of Clarendon）的畫像。由於這些名人（國王自然除外）的肖像畫相當稀有，收藏家們一有機會就會買下亞特金斯這本四開本，並撕下卷頭插畫，加入他們的收藏。

因此，如果你碰上任何舊書拍賣，一定會時常發現這些描述：「缺少書名頁」、「缺少兩幅版畫」、或「缺少最後一頁」。

我們能夠輕易找到被割去空白書邊的古老手抄本，特別是來

5 譯注：Richard Atkyns，十七世紀英格蘭作家。

自十五世紀的牛皮紙與紙質抄本。損傷處會出現在邊角或底部，我也因為這種損壞重複出現而困惑了許多年。此問題起源於古早年代紙張稀缺，所以當有人需要送出訊息時，就得仰賴比健忘信差更可靠的媒介。老師或牧師會去圖書館，如果沒有紙可用，就從架上取下一本舊書，並從寬闊的書本邊際裁下一兩片紙條，用來滿足當前的需求。

我覺得有必要提到這點：書之大敵中的愛書狂和過度細心的書主，由於無法把書帶到死後世界，便盡力阻擋這些書在俗世的用途。要進入知名日記作者老山謬・佩皮斯（Samuel Pepys）的奇特圖書館相當困難。它位於劍橋大學莫德林學院（Magdalene College），藏書都還保留在佩皮斯本人提供的書盒之中；但除了兩名校友外，沒人能靠近這些書。如果有書不見，所有藏書便會被送到附近的學院中。儘管訪客願意配合，很明顯沒人能佔用那兩名校友的時間（或激怒他們）來使用圖書館。哈勒姆（Haarlem）的泰勒博物館（Teylerian Museum）也有類似限制，館內的諸多瑰寶也彷彿被判處無期徒刑。

數世紀前，有批珍貴的藏書被留在吉爾福德皇家文理學校（Guildford Endowed Grammar School）。校長得親自負責看顧每本書的安全，一旦有書遺失，他就得補齊。我聽說，有名校長為了盡可能減低自身的風險，便做出了一項野蠻行為：一等他取得這批書，便將教室地板上的木板掀起，將書本緊緊地塞入托梁中，再釘上木板。他完全不知道底下住了多少老鼠；某天他得為這些書負起責任，而他也想不出比永久監禁還要安全的保存方式。

來自中丘（Middle Hill）的已故湯瑪斯・菲利浦爵士（Sir

一名教師為了保護書本，將書埋在地板下。

Thomas Phillipps）是個驚人的書本藏匿人。他買下寶貴書籍的原因，只是為了掩埋這些書。他的豪宅塞滿了書；他買下整座圖書館，也從未看過自己買下的東西。在他購買的書中，有本由威廉·卡克斯頓翻譯成英文並印製的初版《特洛伊歷史》（*The Recuyell of the Historyes of Troye*），該書是為吾王愛德華四世（Edward IV）的妹妹勃艮第公爵夫人（Duchess of Burgundy）所製作。儘管相當不可思議，但湯瑪斯爵士確實從未找到這本書，不過該書確實還留在書庫中。令人不太感到訝異的是，這批在他過世二十年前購入的書從未有人翻閱，唯一記錄了他擁有的書本內容文件，只有銷售型錄與書商的收據。

第十章

僕人與兒童

讀者呀！你結婚了嗎？你有小孩嗎？特別是六到十二歲之間的男孩？你也有放了各種工具的文學工作坊嗎？有些工具用來實地操作，有些則用來裝飾，讓你度過逍遙的時間？還有——啊！問題來了！你有專門負責為你那小窩除塵的女僕嗎？以上條件你都符合嗎？那我可真同情你。

灰塵！這只是個幻覺。讓女人緊張兮兮的入侵你聖殿中最私密縫隙的，並不是灰塵——而是深埋內心的好奇心。這種源自夏娃的女性弱點，在我們最古老的文學與民俗故事中都是常見的角色動機。法蒂瑪（Fatima）為何那麼想知道藍鬍子（Bluebeard）禁止她進入的房間裡頭有什麼東西？那跟她毫無關聯，房裡的東西也不會干擾任何人。那篇故事有個不好的道德教訓，如果女主角被留在那間血跡斑斑的房間中，和她的不良前輩們待在一起，故事就令人滿意得多了。為何無論男人的圖書館需不需要除塵，女人（上帝原諒我！）都要跑進裡頭？我兒子的遊戲間中有木匠工作台和車床，房裡充滿垃圾，也從不乾淨（也許裡頭不能乾淨，或許孩子們無窮的精力無法容忍整齊狀態），但我的工作室需要每天除塵，我還接受了虛假的承諾，被告知說會將每本書放回原位。這種長期狀況所造成的損害無法估計。在特定時間點，這些破壞行為還會更謹慎地被遵守地；無論是已婚或單身的愛書人，都該小心遭到背叛。一等二月離去，家庭主婦就會感到一股不安。這種感覺一天天地加強，聲勢在月中變得最旺，這時她會表露出各種跡象，暗問你是否會出門一兩天。小心呀！「春季大掃除」這種狂熱開始了，如果你不穩守陣地，就等著後悔。如果一定得離家的話，就把自己地盤的鑰匙帶走吧。

別誤會了。我可不贊成灰塵存在；它們是敵人，也應該驅除。但必要的除塵過程應該在你的管制下進行。你得解釋何處該小心對待，以及溫和打掃的重要性；如果家裡的女人能學會敬重書本，那你就成了個快樂的男人。她會成為無價珍寶，還能延長你的壽命。書本三不五時都得從架上取下，但它們也該受到小心地對待。假若除塵能在房外進行的話，那再好不過了。書本移開後，清理書架時應該謹慎地從軸承處上移開，並好好擦拭；接著每本書都該個別拿起，並以軟布擦拭書背與書側。將書本放回原位時，得注意裝訂處；特別是當書本外層是由小牛皮或摩洛哥皮革製成時，更得小心別讓它們彼此摩擦。即使是裝訂最優良的書，與壞同伴相處後也會迅速受損並毀壞。有些特定書籍確實不好相處，也會刮傷其他靠太近的書。這種書的邊緣裝有金屬扣環與鉚釘；它們大多是十五世紀時製造的老渾球，自傲於擁有真正的木板外皮與黃銅書角，身上永遠裝著可怕的旋鈕與金屬圓形浮雕，大部分有五個，穩穩地裝在書本的其中一側。如果沒解決這種問題書本造成的麻煩，它們就會對性情溫和的鄰居們造成傷害，就像嚇到羊群的牧羊犬。只要放塊厚紙板在搗蛋鬼和受害者之間，這些惡劣結果的傷害就會降到最低。我見過美麗裝訂處被這種糟糕鄰居造成的損傷。

當你的書在「除塵」時，別認為你的助手們有足夠常識；接受她們的無知，並告訴對方：永遠不要用抓起書封底的方式拿書。這種行為會繃緊書背，同時也幾乎會無法平均分配重量，導致書本掉落。你家的女人也會「幫忙」，她很愛處理堆成一大堆的東西；而且按照慣例，她對重心的認知並不準確，也經常會導致東西倒塌，並使不少書角受損。再來，如果沒人監督與指示，她便容易將灰塵擠入書緣之中，而非將灰塵拂去。每本書都應該緊緊握住，以避免書頁過度張開，接著從後頭擦到前端書緣。如果灰塵很多的話，軟毛刷就能派上用場。得用軟布擦拭書本外皮，接著翻開書封，並檢查裝訂處的合頁；因為黴菌會頑強地住進特定書本內外，它有令人費解的喜好與厭惡。有些裝訂似乎很容易受潮，當架上沒有其他受潮的書時，黴菌就會攻擊那類書。發現此問題時，小心地將其抹去，並將書放在你所能找到最乾燥通風的地方，並讓它張開擺放幾天。小心別讓從窗外骯髒道路上飄來的沙子沾上雞毛撢子，不然就會發現光滑的牛皮書封上多了幾條細微刮痕，彷彿是歐洲地圖的輪廓；到時不只你的書，就連你的心和雙眼都要受傷了。

女人家的「幫忙」經常把書架塞得太滿，於是為了取書，你得用上很大的力量，這樣容易傷到書本頂端。小心別犯這種錯。這很常發生在沒注意到一本被故意擺在架子某側、位於移動式書架支撐處的小書時；放這本書不只省下空間，還能避免書架在承受不平均的壓力時，會受到的損傷。

畢竟，解決這些問題的最佳方法，就和應付其他麻煩一樣，需要的都是「常識」。在古代，這種品德肯定比現代更廣泛，不然的話，這個詞彙就不會在我們的語言中變得如此根深蒂固了。

單純的孩童們也經常損害書本。我得承認，自己曾拿含有許多彩色版畫的《亨弗雷的寫作史》（*Humphrey's History of Writing*）來娛樂生病的女兒。目的自然是達到了，但後果相當慘烈。那本書（幸好它相當容易替換）儘管受到我妥善照顧，依然變得又髒又破，最後只能讓它葬身育嬰房了。我後悔嗎？當然不會，儘管此舉犯下了書籍方面的滔天大罪，但誰能估算病人在專注於美麗的多樣化色彩時，會獲得多少歡樂，又會忽視多少痛苦？

幾年前，我一位鄰居有個女兒有種難以抗拒的不良嗜好，會撕掉他圖書室中的書。她當時六歲，經常沉靜地走到書架邊，拿下一兩本書，並從中間撕下十幾頁，再把書本和碎片放回架上；這些損害一直到再度取下此書時才會發現。責罵、勸戒、和懲罰都沒有效果；一頓毒打倒是治好了她的壞毛病。

不過，男孩則比女孩還來得更有破壞力，也對人或書的歲數毫無敬意。誰不怕剛拿到生平第一把口袋小刀的男學生？華茲渥斯[1]說過：

1 譯注：William Wordsworth，十九世紀英國浪漫主義詩人。

你能從他身上的疤痕
看出他在我們的書架與書本上
所做出的行為。
帶著小刀的他，會割下
不幸的版畫或顯眼書籍的邊緣，
一刀切下標籤或框架。

滿嘴糖果、手指又黏膩的男孩們，也會開心地把底層架上的書拿進拿出，完全不清楚自己造成的傷害與痛苦。人們該放聲大叫，呼喚賀拉斯[2]的靈魂來寬恕這錯誤行為：

2 譯注：Horace，古羅馬詩人。

「如果書本落入孩童手中，就令人感到作嘔。」

——《諷刺詩集》（*Satires*）第四篇

從以下的真實故事，便能一窺男孩子幹出的勾當；此故事是一位寫信給我的受害者親身經歷：

夏日中的某天，他在鎮上碰到一名住在海外多年的熟人；發現對方對舊書的興趣依然不減後，便邀請他到家中閱覽十五世紀書籍與其他圖書珍寶，之後再享用較為世俗的餐桌邊娛樂。他家是位於倫敦外圍的一座大宅，建築本身就令人想起黑色字體與羊皮紙。可惜啊！當天卻下起大雨，而當他們走進房子時，響亮的笑聲傳到了他們耳中。孩子們正和幾名小朋友在過生日。雨勢使他們無法出外玩耍，因為無事可做，他們便入侵圖書室。當時巴拉克拉瓦戰役[3]剛結束，大家都在談論戰場上的軍人英姿。所以這些小搗蛋鬼分成了兩派——英國人與俄國人。俄國陣營躲在門後，將從底層書架拿出的老對開本與四開本疊成四英呎高的城牆，並躲在城牆後方。這座書牆以老書組成，包括十五世紀年代記、郡史、與喬叟（Chaucer）和立德蓋特等人的作品。英國陣營待在幾碼外，用小書當作突襲敵方用的飛彈。想想那場面！兩名老紳士急忙進屋，家長意外被初版《失樂園》（*Paradise Lost*）砸中肚子，友人則差點被他從未擁有過的四開本《哈姆雷特》（*Hamlet*）擊中。結果：有人大發雷霆，士兵們迅速撤退，許多傷者（書本）則留在戰場上。

3 譯注：Battle of Balaclava，十九世紀克里米亞戰爭中的戰役。

後記

不過，嚴格來說，以下軼事並未描繪出任何對書造成傷害的行為，但它仍然相當有趣，特別是在這些充滿誘人拍賣會的日子裡，我得稍微破例，以便記錄這件事。這封描述個人經驗的信，是我的朋友喬治．克魯洛先生（George Clulow）寄來的；他是位知名書籍收藏家，也是「特異書本俱樂部」[1]的木刻師。信上的日期是一八八一年。他寫道：

「關於你在《此乃書之大敵》中提到庚斯博羅的『發現』，我想講一件我自己在二十年前的經驗：

有天晚上，我在父親家看到一套關於家具、農場器具和書籍的拍賣型錄，拍賣會預計隔天早上在德比郡（Derbyshire）的鄉間教區長宿舍舉行，該地離最近的火車站有四英哩。

1 譯注：Ye Sette of ye Odde Volumes，一八七八年成立的書本收藏家俱樂部。

當時是夏天（鄉間最棒的季節），由於受到舊書吸引，我決定放一天假，並在隔天早上八點搭上前往C地的火車；而在車班出現變動後，害我向西走上三英哩，之後才發現我的目的地位於火車站東方三英哩。我在中午抵達教區長宿舍，並發現有三四十個住在附近的農夫，和他們的妻子、侍從、和女僕都已聚集在該處。拍賣會原本排定中午開始，但過了一小時，拍賣人才出現，而他做的第一件事（還邀請我協助），就是在宿舍廚房中做出一頓麵包與乳酪大餐。用過餐後，拍賣會便正式展開；一開始供大眾競標的，是各種鍋碗瓢盆，還有床墊等用具。型錄上標明書本是拍賣會的第一階段商品，可是到了三點，我的耐心已經被磨光了，我也向拍賣人抱怨對方沒有照型錄進行拍賣。他的回答是時間不夠，所以明天才會賣書！我受不了了，於是指控他欺騙買家，讓我白跑來C地。不過，這點似乎沒影響他的心情，或使他生氣；他叫來擔任門房的比爾，並要他給我「書房」的鑰匙，讓我把想要的書拿出來讓他販賣。我跟著比爾，走進一處舒適的圖書室，裡頭大多是古老的神學書籍，但也有大批良好的十六世紀文學，以英文和外國語言寫成。我簡略地檢視書架，發現了三十幾本黑體印刷書、三到四本泥金裝飾彌撒經本、和一些年代更新的稀有書本。比爾把書搬下樓，我則想知道會發生什麼事！我的疑惑很快就獲得解答，因為我的選書們一本接著一本、有時則三兩成群地被買走，價格從一先令六便士到三先令六便士都有，後者的價格似乎是我那些競爭者們最高出價額度了。不過，書堆中最頂級的書本卻被拍賣人留到後頭，因為他說那是本『漂亮的書』，而我則敬重起他的判斷來；那的確是本『漂亮的書』，因為那是迪布丁的《圖書十日談》大型印刷本，共有三卷，還留有原本的裝訂。包括這本漂亮的書在內，我花的錢不到十三鎊，也買了能裝滿一整台手推車的書——比我想的還多！將它們帶回家後，便開始去蕪存菁；整理後，發現這些書的價錢比我出的還多了四倍，讓我得到了一批書本瑰寶。

幾週後，我聽說拍賣會剩餘的書被當作垃圾處理掉，並載到隔壁鎮上，一本只賣六便士，而某名鞋匠則用自己的店鋪存放這些書。這些書的消息傳到了其他大城鎮中的一名老書商耳裡。我猜他買下了所有的書。這起特殊事件凸顯出賣家的無知，而買家也不遑多讓。」

一八八七年的讀者會如何看待這種經驗呢？

結論

很糟的是，居然有這麼多敵人會造成書本的毀壞，而它們也經常成功。正常來說，擁有舊書代表了一種神聖的信任關係，有良心的書主或管理人應該像不忽視孩童的父母般照顧它們。無論舊書中的主題或道德課題為何，它確實都是自然歷史的一部分；我們能模仿它，並製造複本，但我們擁有無法真正再製的一本老書。作為歷史文獻，也應該小心保存它。

我不羨慕任何不在意自己祖先遺留下來的文物的人，也無法認同只喜歡談論馬匹和啤酒花價錢的人。對他們而言，孤獨代表無聊，跟別人待在一起也總比獨處好。這種人錯失了太多寂靜沉思的樂趣。如果百萬富翁變成愛書人，那連他也能放鬆心靈、延長壽命、並使日常生活充滿了多出一百倍的樂趣。對愛書的商人而言，在經歷了一整天的麻煩與緊張情緒後，當他進入自己的書本避難所時，會感到多麼開心呀！每篇文章都揮手歡迎他，每本書也都成了他的私人好友！

國家圖書館出版品預行編目（CIP）資料

此乃書之大敵／威廉・布雷德斯（William Blades）著；李函譯. -- 初版. -- 新北市：堡壘文化，2020.03
面；13×19公分. -- (New black；1)
譯自：The enemies of books
ISBN 978-986-98741-1-3（精裝）
1. 資料保存與維護　2. 書蟲
023.56　109001198

New Black 001
作者　威廉・布雷德斯（William Blades）
譯者　李函
責任編輯　簡欣彥
封面設計　井十二設計研究室

社長　郭重興
發行人兼出版總監　曾大福
出版　遠足文化事業股份有限公司　堡壘文化
地址　231新北市新店區民權路108-2號9樓
電話　02-2218-1417
傳真　02-2218-8057
Email　service@bookrep.com.tw
郵撥帳號　19504465
客服專線　0800-221-029
網址　http://www.bookrep.com.tw
法律顧問　華洋法律事務所　蘇文生律師
印製　呈靖彩藝有限公司
初版1刷　2020年3月
定價　新臺幣320元